LES SECRETS
DU CASH GAME

LES SECRETS DU CASH GAME

Antonio Esfandiari
avec David Apostolico

1ère Édition française Janvier 2008

Auteur Antonio ESFANDIARI

Traducteur Yannick BROLLES

L'objectif de notre ouvrage est purement informationnel quant au jeu de poker sur Internet. Il est rappelé qu'en la matière, la législation française prohibe les jeux de hasard et d'argent dont l'organisation, la tenue et les modalités sont exceptionnellement autorisées dans les cadres stricts (cf. Loi n° 83-628 du 12 juillet 1983 relative aux jeux de hasard consolidée au 10 mars 2004 par la loi n° 2004-24 et complétée au 5 mars 2007 par la loi n° 2007-297).

Avertissement aux utilisateurs Les informations contenues dans cet ouvrage sont données à titre indicatif et n'ont aucun caractère exhaustif voire certain. A titre d'exemple non limitatif, cet ouvrage peut vous proposer une ou plusieurs adresses de sites Web qui ne seront plus d'actualité ou dont le contenu aura changé au moment où vous en prendrez connaissance.
Aussi, ces informations ne sauraient engager la responsabilité de l'Editeur. La société MICRO APPLICATION ne pourra être tenue responsable de toute omission, erreur ou lacune qui aurait pu se glisser dans ce produit ainsi que des conséquences, quelles qu'elles soient, qui résulteraient des informations et indications fournies ainsi que de leur utilisation.
Tous les produits cités dans cet ouvrage sont protégés, et les marques déposées par leurs titulaires de droits respectifs. Cet ouvrage n'est ni édité, ni produit par le(s) propriétaire(s) de(s) programme(s) sur le(s)quel(s) il porte et les marques ne sont utilisées qu'à seule fin de désignation des produits en tant que noms de ces derniers.

ISBN : 978-2-300-011085

MICRO APPLICATION
20-22, rue des Petits-Hôtels
75010 PARIS
Tél. : 01 53 34 20 20 - Fax : 01 53 34 20 00
http://www.microapp.com

Support technique disponible sur www.microapp.com

Retrouvez des informations sur cet ouvrage !
Rendez-vous sur le site Internet de Micro Application **www.microapp.com**. Dans le module de recherche, sur la page d'accueil du site, entrez la référence à 4 chiffres indiquée sur le présent livre.
Vous accédez directement à sa fiche produit.

PRÉFACE

PAR STEVE LIPSCOMB

Le World Poker Tour a été une succession de paris, le genre de pari sur lequel on engage tout ce qu'on a. En d'autres termes, tout le monde a joué son tapis. Les créateurs du WPT ont risqué leur emploi, les investisseurs et les casinos ont risqué leurs biens et les joueurs du WPT ont payé leur droit d'entrée et surtout ont mis tout leur cœur à chaque tournoi du WPT. Tous ceux qui suivent le poker ont pu observer la remarquable ascension d'Antonio "The Magician" Esfandiari vers les sommets de la hiérarchie du poker. La première fois que j'ai rencontré Antonio, il faisait des tours de magie pendant une pause du Main Event [1] des World Series of Poker – la sorte de tour qui vous retourne l'esprit –, entouré par une foule de spectateurs. Je me souviens avoir pensé que ce type avait quelque chose de spécial : une lueur, une grâce, un charisme indéniable – on aurait dit une rock star qui attendait son

1 Tournoi principal des World Series of Poker qui se dispute au No Limit Texas Hold'Em. Pour y participer, les joueurs doivent s'acquitter d'un droit d'entrée de 10 000 dollars (NdT).

groupe. Un mois plus tard, je l'ai invité à réaliser quelques tours pour la soirée d'inauguration du World Poker Tour. Il nous a gratifiés d'une prestation remarquable avec beaucoup de style. Mais je n'aurais jamais pensé qu'il deviendrait la figure de proue d'une nouvelle génération de joueurs de poker.

Nous nous sommes revus ensuite lorsqu'il a, à sa grande surprise, atteint la table finale du tournoi du World Poker Tour organisé à San Francisco lors de notre première saison. À cette table magique, le magicien a torturé sans pitié Phil Hellmuth avant de terminer à la troisième place et est, du jour au lendemain, devenu une figure culte du monde du poker. Et cela pour quelqu'un qui ne jouait sérieusement au poker que depuis un an. Il a consolidé sa place dans l'histoire du poker pendant notre deuxième saison lorsqu'il a remporté un tournoi du World Poker Tour et rejoint le club des millionnaires du WPT après sa victoire dans le prestigieux tournoi du L.A. Poker Classic, organisé au Commerce Casino.

Antonio est aujourd'hui un des joueurs les plus respectés mais aussi un des plus craints sur le circuit des tournois – et il continue d'être un modèle pour le million de joueurs d'une vingtaine ou d'une trentaine d'années qui souhaitent devenir professionnels. En très peu de temps, il est parvenu à maîtriser le jeu, à adopter le style de vie qu'il rêvait d'avoir et, surtout, il a réussi à rester un des joueurs les plus affables et les plus appréciés du monde. Je n'ai pas le droit d'avoir un joueur préféré. Mais, si j'avais le droit..., Antonio figurerait en haut de ma liste.

J'aime ce livre parce qu'il offre aux joueurs une chance d'apprendre de la plume d'un maestro comment réussir rapidement dans le poker, comment garder les pieds sur terre lorsque le succès pointe son nez et comment ensuite essayer d'atteindre les sommets. Seuls les meilleurs magiciens osent partager leurs secrets avec leur public – et je suis certain que chacun prendra beaucoup de plaisir et apprendra beaucoup à la lecture de cet ouvrage.

Pour ma grand-mère Malak
que j'aime plus que tout au monde.

♦ ♦ ♦ ♦

Un merci spécial pour mon père, Bijan,
ma mère, Elaheh, mon frère Paul
et Victoria

Sommaire

Avant-propos

par Phil Laak

Antonio Esfandiari est unique. J'ai fait sa connaissance en 2000 pendant les World Series of Poker. C'était la première fois que nous participions à cet événement. Ma carrière de joueur de poker doit énormément à Antonio. Lorsque j'ai commencé à jouer au poker, je ne considérais cela que comme quelque chose d'amusant qui me rapportait suffisamment d'argent pour que j'y consacre du temps. Bien sûr, à l'époque, le poker ne rapportait pas autant d'argent qu'aujourd'hui. Après avoir écumé, pendant une année, les salles de jeu et les clubs dans tous les coins de la planète, je ne trouvais plus cela aussi amusant. J'ai donc décidé de regagner Wall Street, mais j'y reviendrai plus tard.

Après les World Series of Poker de 2000, je suis resté en contact avec Antonio. À l'époque, j'habitais à New York, qui était mon terrain de jeu pour le poker (je suis certain que les vétérans du poker me

botteraient l'arrière-train s'ils m'entendaient faire référence aux années 1999-2000 avec l'expression "à l'époque" mais, vu le paysage actuel du poker, cela me semble une bonne formule). Bien sûr, ce n'était qu'une question de temps avant que quelqu'un comme Antonio découvre "la Grosse Pomme", et je suis fier d'être à l'origine de son premier séjour à New York.

Deux vainqueurs de deux tournois consécutifs du WPT, Antonio Esfandiari et Phil Laak, avec le créateur du WPT, Steve Lipscomb.

Antonio est venu me rendre visite à New York, et j'allais être aux premières loges pour voir comment ce type aime dépenser de l'argent. Nous avions prévu de consacrer une ou deux nuits au poker, de décompresser et de faire la fête. Bon, sept nuits, cela semble *a priori* assez simple à organiser, n'est-ce pas ? Mais j'ignorais, à l'époque, que les 7 000 dollars qu'il avait apportés constituaient toutes ses économies. Bien sûr, lorsqu'il me l'a dit, je l'ai cru. Mais, très vite, au rythme où il dépensait l'argent, j'ai pensé qu'il s'était moqué de moi. Ce type est malade. Il se faisait livrer des sushis pour le petit déjeuner et les plats les plus somptueux pour le déjeuner. Il se faisait masser en fin d'après-midi, et le dîner était non pas un dîner mais une réception commençant par un apéritif avec des amuse-gueules, se poursuivant avec du homard ou un steak ou le plat le plus extravagant du menu ; puis venaient les desserts, les cafés et les digestifs, et, bien sûr, si nous dînions avec des personnes du beau sexe, nous payions leur repas. Avant la fin du dessert, Antonio avait déjà repéré l'endroit à la mode pour dilapider un peu plus d'argent. Comment aurait-il pu n'avoir que 7 000 dollars ! Impossible ! Il s'était payé ma tête !

Ce n'est qu'aux environs de 3 ou 4 heures du matin que je me suis dit : "Ouah, qu'est-ce qu'on s'éclate ! " Et que j'ai réalisé que nous menions un train de vie de rock stars. On se serait cru à la fac sauf que, là, on avait de l'argent à dépenser.

À la fin de notre dernière soirée de fête, Antonio m'a regardé et m'a déclaré : "Oups, Phil, j'ai claqué pas mal cette semaine." "Un peu, mon neveu !" lui ai-je répondu.

Les calculs confirmaient son impression. Nous avions dépensé environ 400 dollars par jour. Antonio avait claqué 2 800 dollars. Je pensais : "D'accord, c'était amusant, mais il est temps de revenir dans le monde réel."

Antonio, lui, était impatient de retourner autour des tables de poker quand il rentrerait chez lui. Il avait besoin de se refaire. Je ne comprenais pas pourquoi il était si pressé. Le poker n'avait, à mon sens, aucun avenir.

Il y avait urgence, bien sûr, parce qu'Antonio avait des factures à payer. Il m'a confirmé qu'il ne possédait que 7 000 dollars. Il avait sciemment "claqué" 40 % de son bankroll uniquement pour passer du bon temps et avoir de beaux souvenirs. À quoi pensait-il ? Je lui ai dit sans ambages qu'il courait à sa perte s'il continuait sur cette voie. Cette nuit, Antonio a reçu un cours sur les notions d'écart-type, de taux de réussite et de bankroll, des notions indispensables pour n'importe quel joueur de poker de cash game. Je lui ai montré comment tous ces éléments se combinent et pourquoi construire un bankroll, plutôt que le dilapider, était aussi important, du moins tant qu'on n'a pas économisé ses premiers 10 000 dollars. Comme une éponge, Antonio a absorbé tous ces concepts.

"Ouah ! Il va falloir que je gagne une tonne d'argent si je veux conserver le même train de vie." Et c'est ce qu'il a fait.

Mais, attention, tout n'a pas toujours été rose pour Antonio ! Il voulait toujours progresser, franchir des paliers. Un jour, il a tout perdu. Qu'a-t-il fait ? Il est retourné à son travail de serveur et a recommencé ses tours de magie pour se refaire avant de revenir au poker.

Mais le poker coule dans les veines d'Antonio, et je pense que, même à cette époque, son envie de vivre dangereusement ne pouvait que le conduire à réussir. En fait, si vous êtes prêt à aller à tapis avec 10-6 de carreau contre un joueur qui a une réputation de flambeur, que vous montriez votre bluff et vous en sortiez sans encombre, c'est que votre destin est là, autour d'une table de poker. Il était écrit qu'il repartirait les poches pleines et avec une réputation d'enfer. Je reviendrai sur cette fameuse main avec 10-6 un peu plus tard.

Bien avant (et, j'en suis certain, bien après) le boom actuel du poker, il y avait les parties de cash game, le pain quotidien du joueur de poker. J'ai découvert le poker en 1999 à New York. Je suis devenu immédiatement accro. Pour ce qui est de s'amuser, le poker est sans aucun doute le jeu idéal. Mais il n'y a pas que le plaisir dans la vie. Il y a aussi l'argent. L'argent qui vous confère la liberté, et la liberté est ce qui compte le plus pour moi. J'étais un capitaliste affamé et il me semblait qu'à New York je ne pourrais pas vivre du poker. En 2000, j'avais fait le tour de la plupart des clubs de poker de la planète et je trouvais qu'il n'y avait pas assez d'argent à gagner pour que j'envisage d'en faire mon métier. Aujourd'hui, je sais, cela peut sembler bizarre.

Las Vegas était la dernière étape de mon périple poker. C'est là que j'ai rencontré Antonio. Après les WSOP de 2000, j'ai pris ma décision. J'allais arrêter le poker et retourner à Wall Street. J'espérais seulement que Wall Street ne me lasserait pas.

Cela faisait six mois que je vivotais à New York lorsque j'ai reçu un appel d'Antonio pour me raconter que la folie du poker avait touché sa ville de San Jose et la Californie. Quoi ? La folie du poker ? Où ? Au Bay 101 ? De quoi est-il en train de parler ? J'avais plus ou moins fait le tour de la planète à la recherche de la folie dont il parlait. Après son dixième appel en un mois, je lui ai demandé de me jurer que les chiffres qu'il me donnait n'étaient en aucun cas exagérés. Il me l'a juré. J'ai donc décidé de mettre mon travail à Wall Street en *stand by* et de prendre un avion pour la Californie. J'allais passer une semaine à San Jose. Au programme, cinq jours de poker et deux jours pour décompresser.

Oh ! Quelle folie ! Au cours de l'année précédente, j'avais écumé bon nombre de fameuses salles de poker : le Vic à Londres, le Grosvernor à Luton en Angleterre, le Concord Card Casino à Vienne, des salles au Costa Rica, à Atlantic City, à Las Vegas, à Los Angeles, à Colma, au sud de San Francisco, l'Aviation Club de France à Paris et pas mal d'autres. J'avais entrepris ce périple pour découvrir le nirvana du poker. Mais, hélas, ce nirvana ne semblait être qu'un nouvel eldorado ! Et ce paradis se trouvait dans ce fameux Bay 101 ? Un trou perdu sur la carte du poker, sans doute. Comment avais-je pu passer à côté de ce casino ? Je n'en avais pas la moindre idée mais, aujourd'hui, je remercie ma bonne étoile de me l'avoir fait découvrir, par l'intermédiaire d'Antonio.

C'était une partie normale de Texas Hold'Em avec les blinds à 10 dollars-20 dollars et une mise maximale de 200 dollars. Cette formule s'appelait Spread Limit Texas Hold'Em, un jeu que vous ne trouverez nulle part aujourd'hui. C'était une forme de Limit Hold'Em avec des montants de mise variables. Mon Dieu, ce casino était une vraie mine d'or. Le premier jour, on m'a dit que j'avais battu une sorte de record en remportant 9 540 dollars. Les jours 2 et 5 ont été une succession de hauts et de bas, mais je les avais écrasés et j'étais accro. Le septième jour, j'ai compris qu'il fallait que je m'installe à proximité de ce casino. Cela ne faisait plus aucun doute. J'ai demandé à Antonio : "Si je quitte New York demain, es-tu prêt à quitter ton appartement pour emménager avec moi dans un appartement situé à moins de 10 miles de ce casino ?" Le jour même, nous avons signé le bail et je suis parti à New York chercher quelques affaires. Voilà comment j'ai déménagé en Californie.

Le Spread Limit Hold'Em a fini par disparaître et l'action a déménagé au Lucky Chances, à San Francisco. Le nouveau jeu à la mode était le No Limit Texas Hold'Em. Avec Antonio, nous avons eu la chance de jouer avec les plus gros pigeons de la baie de San Francisco. C'était le bon temps. Cinq ans plus tard, Antonio vit à San Francisco et moi, à Los Angeles, deux des plus grandes Mecque du poker aux États-Unis. Je te remercie, Antonio. Sans toi, je n'aurais sans doute jamais réintégré le monde du poker.

Comme tous ceux qui ont déjà joué à ce jeu le savent, au poker vous connaîtrez des hauts et des bas. Vous devez être fort mentalement pour y jouer. Juste avant son plus gros succès au poker, Antonio a traversé une de ses plus noires périodes. Il avait gagné plus de 80 000 dollars lorsque cette terrible semaine de poker arriva. En février 2004, le Casino Commerce de Los Angeles était l'endroit à la mode, et le World Poker Tour était en ville pour organiser le tournoi L.A. Poker Classic.

Toutes les tables étaient pleines et beaucoup d'entre elles proposaient des parties à des limites plus hautes que d'habitude. Antonio a réussi à dégoter une partie de No Limit Hold'Em à 10 dollars-20 dollars avec un ante à 10 dollars. C'était une partie de cash game inhabituelle, et cela flambait beaucoup autour de la table. De ma vie je n'avais jamais vu un joueur subir en l'espace de deux jours autant de bad beats qu'Antonio. Pourtant, il ne faisait aucune erreur, ne prenait aucune mauvaise décision. Et cela, *a priori*, toujours face au même joueur. Antonio avait perdu presque 60 000 dollars de son bankroll de 80 000 dollars. Le L.A. Classic du WPT devait débuter le lendemain.

C'était la première fois que je voyais Antonio dans un état complet de catatonie. Il était allongé sur son lit en train de fixer le plafond, complètement démoralisé. Je ne l'avais jamais vu comme cela auparavant. Si vous connaissez Antonio, vous savez que rien ne peut l'atteindre. C'est ce qui fait de lui un très grand joueur de poker. Vous pouvez toucher un tirage improbable contre lui et lui prendre un paquet de jetons sans que cela le trouble le moins du monde. Il oublie cela instantanément pour passer à la main suivante. Mais pas cette nuit. Il avait mieux joué que son adversaire et, pourtant, ce type l'avait battu et l'avait amputé d'une large partie de son revenu. Antonio était dans un tel état que je ne trouvais rien d'autre à faire que le laisser tranquille. Je n'ai même pas osé prononcer un seul mot tellement je me sentais désolé pour lui. Je pense que c'est peut-être la seule fois que quelqu'un a vu, et verra, Antonio dans un tel état. Je savais qu'Antonio avait besoin de calme pour pouvoir refaire surface. Je me demandais juste combien de temps il lui faudrait pour y parvenir.

Je n'ai pas eu longtemps à attendre. Fidèle à sa nature, Antonio s'est réveillé le jour suivant et est passé à autre chose. Il a fait comme si ces bad beats ne s'étaient jamais produits. Il avait perdu 75 % de son capital tout en jouant mieux que son adversaire et, un jour plus tard, tout était redevenu normal, et il participait au WPT. Au cours des deux premières heures de ce tournoi, Antonio a floppé brelan sur brelan et le reste n'était plus que du passé. Pour nous autres, la messe était dite. Il ne nous restait plus qu'à jouer pour la deuxième place parce qu'il était clair que le nom d'Antonio était déjà inscrit sur la coupe du vainqueur. Vinny Vinh et Antonio ont donc débuté leur tête-à-tête. Ils avaient tous les deux environ 1 million en jetons lorsque Antonio a relancé avant le flop avec 10-6 de carreau. Vinny a surrelancé et Antonio est allé à tapis. Eh oui, vous avez bien lu, il est allé à tapis avec un 10. Vinny a pris quelques instants pour réfléchir avant de jeter ses cartes. Lorsque Antonio a retourné ses cartes, la foule s'est mise à scander : "Vinny va tilter, Vinny va tilter." Ce fut le tournant du tournoi. Antonio a remporté le tournoi et le premier prix de 1,4 million de dollars.

J'ai toujours pensé qu'il y avait une morale dans l'enchaînement de ces deux événements. En l'espace d'une semaine, Antonio, qui avait connu sa pire période, ne s'est pas laissé abattre. Il a réussi à oublier cette période sombre. C'est grâce à cela qu'il a pu remonter la pente et remporter le tournoi.

Après une telle semaine, vous pourriez penser qu'Antonio est allé prendre un peu de repos. Il venait de surmonter une période difficile. Après tout, c'est difficile de dilapider plus de 1 million de dollars dans des fêtes. Peut-être pas, après tout, n'oublions pas que nous parlons d'Antonio !

Les parties de cash game sont très différentes des tournois. Elles sont le quotidien du joueur de poker professionnel. Les cash games sont notre gagne-pain. La popularité croissante des tournois de poker a engendré une nouvelle génération de livres sur le poker. Pourtant, peu ont été consacrés aux parties de cash game et aucun d'eux ne contient autant d'informations et de conseils que celui que vous tenez en main. Antonio ne se contente pas de vous enseigner la stratégie. Il vous donne également d'excellents conseils pour acquérir le bon état d'esprit et comprendre la philosophie du jeu. Que vous soyez débutant ou joueur confirmé, la lecture de ce livre ne peut qu'améliorer votre jeu.

Phil Laak a rencontré un grand succès sur le World Poker Tour en remportant le tournoi sur invitation organisé pendant la saison 2 du WPT et en atteignant la table finale du tournoi Legends of Poker, organisé au Bicycle, toujours lors de la deuxième saison.

Mes débuts dans le poker

J'avais 19 ans, j'étais assis dans mon appartement. Mon colocataire, Scott Stewart, s'apprêtait à sortir, il avait l'air plutôt pressé. Je lui ai demandé où il allait. Il m'a répondu qu'il se rendait à un tournoi de poker. Un tournoi de poker ?

"Kezaco, un tournoi de poker ?" lui ai-je demandé.

Je réclame votre indulgence. Ces événements se sont déroulés quelques années avant que le World Poker Tour, grâce à ses caméras miniatures révolutionnaires, ne fasse entrer le Texas Hold'em dans les salons des foyers américains et du monde entier. J'allais bientôt être initié.

J'ai dit à Scott que je voulais jouer. Il m'a conseillé de lire un ou deux livres sur le sujet avant de me lancer et m'a donné *Winning Low Limit Hold'Em,* le livre de Lee Jones. J'ai dévoré l'ouvrage en question en un jour et ai ingurgité toutes les informations qu'il contenait. J'étais prêt à me lancer. Scott m'a emmené avec lui au tournoi suivant. Il y avait cent vingt participants. J'ai terminé à la première place. Eh oui ! J'ai remporté le premier tournoi auquel j'ai participé. Pour fêter l'événement, j'ai offert un voyage à Hawaii à ma copine Laura.

J'étais devenu accro. Bien que ravi de mon premier succès, je savais que le poker me demanderait beaucoup d'effort et de travail. Je me suis plongé dans l'étude du Texas Hold'em. J'ai commencé par jouer dans les parties de cash game à faible limite dans les salles de jeu du nord de la Californie. Il m'arrivait de trouver les parties trop "lentes" pour quelqu'un qui, comme moi, voulait progresser vite. Je voulais apprendre le maximum de choses le plus rapidement possible.

J'ai donc commencé à parfaire mon apprentissage. Il n'y avait pas beaucoup de parties de No Limit Hold'em dans les casinos à l'époque. Avec Gabe Thaler, un de mes meilleurs amis, nous avons pris l'habitude de jouer des parties en tête à tête chez nous. Nous jouions à la moindre occasion. Aucun de nous n'avait une mise de fonds importante, mais nous y mettions tout notre cœur. Nous avions beau être de très bons amis, chaque fois que nous jouions c'était pour gagner. Je voulais lui prendre son argent et lui, le mien. Si vous ne voulez pas gagner, vous n'apprendrez jamais à jouer correctement.

Gabe et moi avons dû jouer plus d'un millier d'heures en tête à tête au No Limit Hold'em. Nous avons commencé à jouer des freeze-out de 100 dollars avec les blinds à 1 dollar et 2 dollars. Nous sommes ensuite passés à des freeze-out de 200 dollars et enfin à des parties en No Limit avec des blinds à 2 dollars et 5 dollars. C'est pendant ces parties en tête à tête que j'ai commencé à apprendre à jouer au poker en No Limit. J'ai écrasé Gabe au cours de ces parties. Mais, plus important, cela nous a permis à tous les deux d'améliorer considérablement notre jeu. Nos résultats dans les salles de jeu s'en sont trouvés grandement améliorés. Aujourd'hui, Gabe est un des meilleurs joueurs de cash game que je connaisse.

Quand je me penche sur cette période de ma vie, je réalise combien ces parties en tête à tête ont joué un rôle important dans mes progrès en tant

que joueur de poker. J'ai pu jouer un grand nombre de mains en très peu de temps. Les parties se déroulent évidemment plus vite avec deux joueurs qu'avec dix. Jouer autant de mains m'a permis d'apprendre la véritable valeur des mains et combien il est difficile de toucher un flop.

Jouer en tête à tête contre un adversaire aussi redoutable que Gabe m'a énormément aidé. J'ai dû lutter pour chaque jeton. Je devais jouer mon meilleur jeu pour remporter ses jetons et défendre les miens. J'ai appris à étudier un adversaire. Jouez plus de mille heures face à un adversaire et vous le connaîtrez parfaitement. Aujourd'hui, Gabe est la dernière personne que je souhaite affronter à une table de poker. Il me connaît trop bien. Il s'agit d'un élément capital. Je connais parfaitement le jeu de Gabe mais lui aussi connaît parfaitement le mien. N'oubliez jamais que, s'il est important de connaître son adversaire, il est également important de savoir comment votre adversaire vous perçoit.

Il y a un autre point sur lequel je souhaite insister. Si vous décidez de devenir joueur professionnel, vous devez laisser à l'entrée de la salle de jeu les sentiments que vous pouvez éprouver pour vos adversaires. Gabe était, et est encore aujourd'hui, l'un de mes meilleurs amis. Mais, chaque fois que nous nous retrouvons autour du feutre d'une table de jeu, c'est chacun pour soi. Que vous jouiez dans une partie entre amis ou dans la plus importante partie de cash game de Las Vegas, vous connaîtrez sûrement certains de vos adversaires. Ils sont assez grands pour défendre leurs intérêts. Vous devez défendre les vôtres.

Les gens me demandent souvent à quel moment j'ai pris la décision de devenir joueur professionnel de poker. Dès le début, je me suis complètement plongé dans ce jeu. Je ne me suis pas demandé si j'allais en faire ou non mon métier. Je voulais tout apprendre sur le sujet et jouer aussi souvent que possible. Je continuais les spectacles de magie et travaillais toujours dans un restaurant pour gagner ma vie. Le poker était une passion. Je voulais jouer parce que je croyais en mes capacités.

Puis, un jour, Gabe et moi étions assis dans l'appartement que nous partagions. Nous ne nous sentions pas très bien, nous venions de rompre avec nos copines. Nous avons commencé à parler, à imaginer à quel point cela serait agréable d'avoir un bankroll [1] de 10 000 dollars. Plus nous en parlions, plus cela nous semblait possible. Cela faisait un moment que nous jouions mais, c'est ce jour-là que nous avons su que nous allions tous les deux devenir des joueurs professionnels de poker.

Quelque temps après, Gabe et moi avons rendu visite à un autre de nos très bons amis, prénommé Ryan. Ryan est un bon joueur de poker mais il aime trop flamber. Il lui faut de l'action et c'est un des plus gros flambeurs que je connaisse. Ma fortune à l'époque s'élevait à 1 000 dollars. J'ai joué toute cette somme en tête à tête contre Ryan et je l'ai battu. Nous avons alors joué les 2 000 dollars et je l'ai à nouveau battu. J'avais à présent 4 000 dollars. Je ne suis pas un grand flambeur comme Ryan. J'ai donc décidé de conserver 1 000 dollars et nous avons joué 3 000 dollars. J'ai de nouveau gagné. Il a alors proposé de jouer 10 000 dollars. Je ne disposais pas de cette somme. Je ne disposais que de 7 000 dollars. Ryan m'a alors fait la proposition suivante : si je gagnais, il s'engageait à me verser la somme d'ici trois mois, si je perdais, je bénéficierais d'un an pour lui régler les 7 000 dollars. Comment refuser une telle proposition ? Nous avons donc joué et j'ai remporté la partie à la deuxième main. Le lendemain, Ryan est venu me régler les 7 000 dollars. Je disposais alors de 14 000 dollars. J'avais donc tout d'un coup mon bankroll.

Suite au succès phénoménal rencontré par le World Poker Tour, la popularité des tournois de poker a explosé au cours des dernières

1 Mise de fonds (NdT).

années. Je joue aujourd'hui plus souvent en tournoi que je ne le faisais à l'époque. De nombreux joueurs de poker ont commencé à jouer en tournoi. Ces joueurs ne perçoivent peut-être pas à quel point les stratégies utilisées en cash game sont très différentes de celles utilisées en tournoi. En tournoi, différents facteurs interviennent, comme conserver des jetons, éviter les situations marginales, jouer de façon agressive contre les petits tapis, le besoin d'accumuler les jetons et éviter l'élimination. En cash game, vos décisions sont d'abord fondées sur l'évolution de la main et votre lecture de vos adversaires. Cela ne signifie pas que les stratégies utilisées en cash game sont plus simples. Les facteurs qui vous permettent d'évaluer une main sont nombreux et plutôt complexes.

Alors que les tournois sont amusants et motivants, les parties de cash game sont le quotidien, le gagne-pain du joueur de poker. Dans cet ouvrage, je vais vous faire part de mon expérience. Cela vous aidera à prendre les bonnes décisions à une table de poker et à gagner de l'argent en cash game.

Mais, avant cela, prenons quelques instants pour décrire ce jeu. Le Hold'em est un jeu à sept cartes : deux cartes couvertes pour chaque joueur et cinq cartes communes à l'ensemble des joueurs. Chaque joueur doit réaliser la meilleure combinaison de cinq cartes possible à partir de ces sept cartes. Les joueurs reçoivent tout d'abord deux cartes couvertes. Ce sont les *cartes couvertes* ou *cartes privatives* de chaque joueur qu'il est seul à connaître. Les cartes sont distribuées en suivant l'ordre des aiguilles d'une montre en commençant par le joueur assis à la gauche du donneur. Le donneur est représenté par un petit disque blanc appelé le *bouton*. À chaque main, le bouton passe au joueur suivant. Le croupier dans un casino ne bouge pas de place, mais il distribue les cartes en fonction de la place du bouton.

Le premier joueur assis à la gauche du donneur est appelé le *small blind*. Le deuxième joueur assis à la gauche du donneur est appelé le *big blind*. Les deux sont appelés les blinds. Les deux joueurs doivent déposer une mise dans le pot avant même que les cartes soient distribuées. Le big blind doit déposer une mise complète alors que le small blind ne doit déposer que la moitié d'une mise. Par exemple, dans une partie de Limit Hold'em à 10 dollars-20 dollars, une mise complète pour le premier tour de mise est de 10 dollars. Le big blind doit donc déposer 10 dollars tandis que le small blind ne doit déposer que 5 dollars. Puisque les blinds ont déjà effectué leur mise, une fois les cartes distribuées c'est au joueur assis à la gauche du big blind de parler en premier. Ce joueur a le choix entre suivre (miser le montant de la mise déposé par le big blind), relancer ou jeter ses cartes. En Limit, le joueur ne peut relancer que d'une mise complète, c'est-à-dire 10 dollars de plus, ce qui fait un total de 20 dollars. En No-Limit, le joueur peut effectuer une mise comprise entre 10 dollars et la totalité de son tapis.

Une fois que le premier joueur a pris sa décision, c'est à son voisin de gauche de parler. Chaque joueur peut choisir entre suivre, relancer ou jeter ses cartes. En Limit, il y a un nombre de relances minimal pour chaque tour de mise. Par exemple, s'il n'y a qu'un total de quatre relances, l'action sera limitée à 50 dollars (c'est-à-dire les 10 dollars de départ et les quatre relances suivantes de 10 dollars). En No-Limit, il n'y a aucune limite au montant des relances.

Lorsque la parole arrive aux blinds, ils ont deux solutions. Le small blind a déjà misé la moitié de la mise, donc, s'il choisit de ne pas relancer, il n'a qu'une moitié de mise à déposer pour suivre. Bien sûr, le small blind peut également relancer ou jeter ses cartes. Selon les décisions prises par les joueurs qui ont parlé avant lui, le big blind a deux options. Tout d'abord, si personne n'a relancé, il peut *checker* puisqu'il a déjà déposé une mise complète. Le big blind a également l'*option* de relancer.

Puisque le big blind doit miser avant de voir ses cartes, on lui accorde l'option de relancer après qu'il a pris connaissance de ses cartes.

Une fois le premier tour de mise achevé, le croupier brûle une carte (la carte placée sur le dessus du paquet n'est pas utilisée) et retourne trois cartes découvertes sur le tapis au milieu de la table. Ces trois cartes sont retournées en même temps et sont appelées le *flop*. Chaque joueur assis à la table peut utiliser ces trois cartes communes. Un nouveau tour de mise débute alors. Le premier joueur assis à la gauche du donneur encore en jeu est le premier à parler. Il a le choix entre checker ou miser. Checker permet à un joueur de refuser de miser tout en restant dans la main en cours. Pour cela, il faut soit annoncer "check" soit taper sur la table avec la main. Attention, ne jetez pas vos cartes. Même si vos cartes ne vous inspirent pas, gardez-les jusqu'à ce que vos adversaires aient pu parler. Si les autres joueurs décident de checker également, vous pourrez voir la carte suivante gratuitement. En d'autres termes, vous n'aurez pas besoin de miser. Mais, une fois que vous avez checké, le premier joueur encore en jeu assis à votre gauche aura lui aussi le choix entre checker ou miser. En revanche, une fois qu'un joueur a misé, le joueur suivant n'a plus la possibilité de checker, il doit soit jeter ses cartes, soit suivre, soit relancer. Les joueurs qui ont checké avant le joueur qui a misé ont la possibilité de jeter leurs cartes, de suivre ou de relancer puisque la parole se déplace à chaque fois vers la gauche. Avant de dévoiler la carte suivante, les joueurs encore en jeu doivent avoir misé le même montant (sauf bien sûr lorsqu'un joueur a fait *tapis*, ce qui signifie que le joueur en question a misé l'ensemble de ses jetons dans le pot).

Une fois le deuxième tour de mise terminé, le donneur va de nouveau brûler une carte avant de retourner une nouvelle carte commune qu'il placera à côté des trois cartes du flop. Cette carte s'appelle le *turn* ou *quatrième rue*. Chaque joueur dispose alors de six cartes pour réaliser la meilleure main de cinq cartes possible. Les mises se déroulent selon le même modèle que pour le tour de mise précédent. En Limit, le montant de la mise est doublé pendant ce tour de mise. Par exemple dans une partie à 10 dollars-20 dollars, les mises augmentent de 10 dollars pendant les deux premiers tours. Dans les troisième et quatrième tours de mise, la mise est doublée à 20 dollars.

Une fois le troisième tour de mise terminé, le donneur va brûler une autre carte avant de retourner la dernière carte commune. Cette carte s'appelle la *river* ou la *cinquième rue.* À cet instant, tous les joueurs disposent de sept cartes (les cinq cartes communes et les deux cartes couvertes de chaque joueur) pour réaliser la meilleure main de cinq cartes possible. Les joueurs peuvent utiliser n'importe quelle combinaison de cinq cartes parmi les sept cartes pour constituer une main. La séquence de mise est la même qu'aux deuxième et troisième tours de mise. Une fois ce dernier tour de mise terminé survient l'*abattage.* Tous les joueurs encore en lice vont montrer leurs cartes. La meilleure main remporte le montant du pot. Si, avant l'abattage, un joueur mise ou relance et que cette mise ou cette relance ne soit pas suivie, ce joueur remporte le pot sans avoir à montrer ses cartes. Cela, bien sûr, à n'importe quel tour de mise avant le flop jusqu'à la river.

Nous verrons, au chapitre suivant, comment remporter ces pots.

Chapitre 2

La magie du poker

Avant mon initiation au poker, j'étais un adolescent comme les autres, et j'allais à l'université. Un beau jour, en entrant dans un restaurant, ma vie a pris un tournant complètement inattendu. Je n'oublierai jamais cet instant. J'étais assis au bar du salon du restaurant Albuquerque, à San Jose, en Californie, lorsque le barman me demanda :

"Hey gamin, choisis une carte !"

"Qu'est-ce que tu veux, choisir une carte ?" Le jeu n'était même pas ouvert.

"C'est pas grave, m'a répondu le barman. Choisis une carte."

J'ai pensé que tout le monde choisissait l'as de pique (c'était peut-être le truc), et j'ai choisi le 7 de trèfle. Le barman a ouvert le jeu et a sorti un paquet de cartes. Les cinquante-deux cartes étaient là : cinquante et une avaient un dos bleu, une seule, le 7 de trèfle, avait un dos rouge. Je voulais savoir faire cela.

Saison 2 WPT Battle of Champions – Phil Laak, David Benyamine, Noli Francisco, Mel Judah, Hoyt Corkins et Antonio.

J'ai quitté le bar et me suis précipité dans un magasin de magie. J'ai demandé au vendeur de me donner tout ce que je devais savoir sur la magie. Douze mois plus tard, j'abandonnais l'université. J'ai travaillé mes tours de magie douze heures par jour. Je me suis entraîné pendant douze heures, tous les jours, pendant deux ans. J'allais me coucher avec un jeu de cartes dans la main. Je me réveillais avec un jeu de carte dans la main. J'allais à un rendez-vous avec un jeu de cartes dans la main. J'allais même jusqu'à conduire ma voiture avec les genoux pour pouvoir continuer à m'exercer. Telle a été ma vie pendant deux ans. Je ne faisais que des exercices de magie. Mes amis en avaient marre. Je ne m'intéressais à rien d'autre. J'étais comme hypnotisé. Je voulais devenir le nouveau David Copperfield. Je faisais des spectacles de magie dans les soirées, les conventions et les séminaires, et à l'âge de 20 ans je me débrouillais plutôt bien.

Bien sûr, la magie n'est qu'illusion. Ce qui paraît facile au public est le fruit d'heures de travail acharné et d'entraînement. J'ai réussi à devenir un magicien accompli parce que j'ai eu la discipline de travailler douze heures par jour, tous les jours, pendant deux ans. J'ai pu respecter cette discipline parce que j'étais passionné par la magie.

Comment devient-on un grand joueur de poker ? Je vais vous révéler un petit secret. Il n'y a pas de mystère. Il n'y a pas de formule secrète. Il n'y a pas de truc. Bref, il n'y a besoin d'aucune magie pour devenir un bon joueur de poker qui vit de son métier. Comme pour presque tout dans la vie, il faut beaucoup de travail, de la patience, de l'entraînement et de la discipline.

Le poker est un jeu dans lequel on apprend tous les jours. Chaque fois que je joue, je m'arrange pour apprendre quelque chose, pour m'améliorer. Que vous soyez débutant ou que vous ayez quelques années d'expérience, vous aurez toujours quelque chose à apprendre. Vous pouvez apprendre en jouant, en observant, en lisant ou en discutant de stratégie avec d'autres joueurs. Chaque joueur a sa propre philosophie et son propre point de vue. J'aimerais partager ma philosophie du poker avec vous.

Positiver

Positivez. Vous ne m'entendrez jamais raconter une histoire de bad beat. N'oubliez jamais cela. Lorsqu'un joueur vous raconte son dernier bad beat, est-ce que cela vous intéresse vraiment ? En outre, tous ceux qui jouent au poker connaîtront leur part de bad beat. C'est le poker. En fait, les meilleurs joueurs connaîtront plus de bad beats que les autres. C'est un fait avéré. Pourquoi ? Si vous ne faites pas d'erreur, vos adversaires seront restés dans des mains alors qu'ils étaient dominés tandis que vous ne vous retrouverez que rarement dans ce genre de situation. Parfois, ils toucheront leur tirage. Mais, sur le long terme, vous gagnerez plus d'argent dans ces confrontations que vous n'en perdrez. Pour les joueurs, les bad beats ne sont rien d'autre que des coûts d'exploitation. Acceptez-le et ne vous laissez pas obnubiler par eux. Si vous leur accordez trop d'importance ou si vous laissez les bad beats vous obséder, cela aura des conséquences néfastes sur votre jeu.

J'ai appris à rire de mes bad beats grâce à un de mes meilleurs amis, Phil "the Unabomber" Laak. Il y a environ deux ans, nous étions en train de jouer dans une partie de No Limit à Colma et j'avais l'avantage de position sur Phil puisque j'étais assis immédiatement à sa gauche. Chaque fois qu'il entrait dans un pot, je le relançais. S'il misait 80 dollars, je relançais à 300 dollars. Au bout d'un moment, cela a commencé à lui porter sur les nerfs. Selon les mains, il jetait ses cartes ou il me surrelançait. Quelques mains plus tard, Phil a misé 80 dollars et j'ai relancé à 300 dollars avec une paire de valets. Phil a annoncé tapis et poussé 5 000 dollars au centre de la table. J'ai pris quelques secondes pour réfléchir avant de suivre. Le pot faisait un peu plus de 10 000 dollars. Phil a retourné R-V dépareillés, j'étais donc largement favori. Cela n'a pas duré. Le flop a révélé A-D-10, donnant à Phil une quinte et le jeu max. Le turn et la river ne m'ont été d'aucun secours et j'ai donc perdu cette main.

Environ un mois plus tard, nous étions à Las Vegas, à l'hôtel Bellagio. Phil et un autre de nos amis, Tony, étaient dans ma chambre et nous nous préparions à sortir. Je suis sorti de la douche drapé dans une serviette de bain. Je me suis dirigé vers le placard pour m'habiller. Je sentais bien que quelque chose se tramait à la façon dont Phil me regardait du coin de l'œil, mais je ne voyais pas quoi. J'ai ouvert le placard et là, au-dessus de mes caleçons, j'ai trouvé une paire de valets et R-V séparés par A-D-10. Phil et Tony étaient complètement hilares et je n'ai pas pu m'empêcher de rire aussi.

POUR GAGNER, IL FAUT QUE QUELQU'UN PERDE

N'ayez pas peur de perdre. Perdre fait partie du jeu. Une fois que vous aurez accepté cette vérité, vous serez prêt à gagner. Parfois, vous allez perdre. Acceptez-le et continuez. Si vous entrez dans un tournoi ou une grosse partie de cash game en ayant peur de perdre, vous allez perdre. Vous allez mal jouer. La peur sera palpable, que ce soit sous la forme de gouttes de sueur sur votre front ou dans une légère hésitation avant une mise importante. Vous allez suivre alors que vous devriez relancer, jeter vos cartes quand vous devriez suivre, limper trop souvent, et vous finirez par vous demander pourquoi vous ne gagnez pas d'argent. Les bons joueurs peuvent sentir la peur à plus de 1 kilomètre. Arrivez à la table avec le moindre soupçon de palpitation et les requins vont accourir.

NE PAS SE SOUCIER DE L'ARGENT

Quel est le meilleur moyen de jouer sans peur ? Tout d'abord, et surtout, vous devez modifier votre rapport à l'argent. L'argent que vous utilisez dans une salle de poker n'est pas le même que celui que vous utilisez dans votre vie de tous les jours. L'argent, dans la vie de tous les jours, doit être dépensé avec sagesse ou investi avec prudence. L'argent que vous jouez dans une salle de poker est l'instrument qui vous permet de gagner. Ne le considérez plus comme de l'argent. Considérez-le comme votre instrument de travail. Vous ne devez pas plus vous préoccuper du montant du jeton que vous utilisez que le charpentier ne se préoccupe du prix du clou qu'il est en train de planter. Le charpentier va planter tous les clous nécessaires à la réalisation de son travail. Je vais faire la même chose à une table de poker et c'est ce que vous devrez faire également.

Considérez vos jetons comme des coûts d'exploitation, rien de plus, rien de moins. Comme dans les affaires, vous aurez des frais généraux. Considérez les bad beats comme des frais généraux. En outre, comme Doyle Brunson l'a écrit, lorsque vous faites une grosse mise, vous ne devez pas penser : "Oh, mon Dieu, je suis en train de miser une Cadillac."

Même si vous jouez pour le plaisir, si vous pensez au steak que vous pourriez acheter avec le montant de la mise vous êtes de l'argent mort. Par conséquent, considérez ces jetons comme vos instruments de travail. Vous n'aurez donc pas peur de les perdre, et cela vous permettra d'en gagner d'autres. Pour y parvenir, vous devrez constituer un bankroll réservé au poker. Votre bankroll doit être constitué d'argent dont vous n'avez pas besoin pour régler d'autres dépenses. Si vous jouez l'argent du loyer, vous jouerez constamment la peur au ventre. Que vous soyez professionnel ou amateur, ne jouez qu'avec de l'argent dont vous n'avez pas besoin. Ne jouez qu'avec de l'argent que vous pouvez vous permettre de perdre.

NE PAS SE PRÉOCCUPER DE CE QUE PENSENT LES AUTRES

Si vous vous préoccupez de ce que les autres joueurs pensent de votre jeu, vous jouerez là aussi la peur au ventre. Jouez votre jeu, et les choses suivront leur cours normal. Parfois, vous ferez des erreurs et suivrez alors que vous êtes dominé. Parfois, votre bluff sera éventé et vous devrez retourner une main perdante. Concentrez-vous sur la stratégie. Tout ce qui importe, c'est que vous preniez les bonnes décisions. Sur le long terme, vous gagnerez de l'argent malgré quelques revers de temps en temps. Prenez vos décisions sans crainte et sans vous préoccuper de ce que pensent les autres. Votre image à la table est un élément clé du succès. Si vous faites un mauvais bluff en affichant de la confiance, vos adversaires penseront que vous êtes imprévisible et dangereux. Si, dans la même situation, vous rougissez après avoir été payé, vos adversaires penseront que vous êtes faible.

LA MEILLEURE FAÇON DE GAGNER DE L'ARGENT EST DE JETER SES CARTES

Ce n'est pas une erreur d'impression. Vous avez bien lu : la meilleure façon de gagner de l'argent est de jeter ses cartes. Si vous jouez à une table de cash game de neuf ou dix joueurs, vous ne gagnerez pas toutes les mains. Vous serez même loin de gagner la moitié des mains. Vous allez remporter seulement un faible pourcentage du nombre total des mains jouées. Vous gagnez de l'argent en maximisant vos profits lorsque vous avez la meilleure main et, surtout, en minimisant vos pertes lorsque vous n'avez pas la meilleure main. Ne jouez que lorsque vous avez un avantage. À la différence des tournois, vous pourrez choisir vos mains. Votre tapis ne sera pas mangé par les blinds. Vous pouvez vous permettre d'attendre, d'être patient.

Cela ne signifie pas que vous deviez avoir la meilleure main pour remporter le pot. Mais vous devez avoir un avantage. Cet avantage peut se situer au niveau des cartes, de la position, de votre image à la table ou du fait de sentir de la faiblesse chez un adversaire. Si vous n'avez pas un avantage, jetez vos cartes. Les casinos et les cercles de jeu gagnent de l'argent en proposant des tables sur lesquelles la maison a un avantage. Ne jouez pas quand les autres ont l'avantage. Ne jouez que quand vous avez l'avantage. Le poker est un jeu de stratégie, pas un jeu de hasard. Si vous voulez jouer avec le sort, contentez-vous des machines à sous.

Les gains en cash game se calculent sur le long terme. Tous les joueurs connaissent de mauvaises passes dont certaines peuvent parfois durer longtemps. Lorsque vous êtes dans une mauvaise passe, ne laissez pas cette mauvaise passe affecter votre jeu. Prenez toujours quelques instants pour évaluer votre jeu. Si vous prenez les bonnes décisions, continuez de jouer.

Observer et apprendre

Même si j'ai beaucoup appris en jouant, j'ai également beaucoup appris en regardant les autres joueurs. Au cours des milliers d'heures pendant lesquelles nous avons joué en tête à tête avec Gabe, j'ai appris beaucoup de choses. Le joueur qui m'a le plus appris est Scott « Scotty » Lundgren, qui est peut-être le meilleur joueur de cash game que je connaisse. Bobby « the Wiz » Hoff m'a appris "à amasser et à ramasser". En d'autres termes, vous alimentez le pot avant le flop et le ramassez après le flop. Rob Fulop, qui a collaboré au code source de Space Invaders, dominait autrefois les parties au casino Lucky Chances même si, aujourd'hui, il ne gagne plus. Il m'a néanmoins beaucoup appris. Eldon « Cajun Slick » Elias; Billy O'Connor et Carl McElvey et d'autres m'ont énormément appris.

J'ai eu la chance de les regarder jouer et d'apprendre beaucoup en observant tous ces excellents joueurs de Hold'em au cours de parties de cash game. Même si vous n'avez pas dans votre entourage de Scotty Lundgren, cherchez dans votre salle de jeu un joueur qui gagne et prenez quelques instants pour analyser son jeu. Devenez ami avec lui et profitez de ses lumières. Veillez constamment à faire tous les efforts nécessaires pour vous améliorer.

Restez concentré lorsque vous n'êtes pas impliqué dans la main en cours. Ne sortez pas de la partie. Regardez et observez ce qui se passe en face de vous plutôt que jeter un coup d'œil sur le match de football qui est diffusé sur le téléviseur de l'autre côté de la salle ou envoyer un texto à l'un de vos amis. Essayez de deviner ce que les autres joueurs ont en main. Vous apprendrez ainsi beaucoup de choses sur eux. Jouez avec eux. Cela vous permettra d'enrichir votre expérience. Dans une partie de cash game à neuf ou dix joueurs, vous n'allez jouer qu'une infime partie des mains distribuées. Alors, pourquoi ne pas apprendre de toutes les mains qui auront été distribuées ? Rien ne remplace l'expérience. Si vingt-cinq mains sont distribuées en une heure à votre table, vous apprendrez plus de vingt-cinq mains que des seules cinq mains que vous jouerez. Maintenant, multipliez ce nombre de mains par le nombre d'heures que vous jouez en une session, une semaine ou même une année. Ce nombre augmente très rapidement. Essayez de faire cela au cours de toute une session et je vous garantis que sous peu vous serez capable de deviner avec une assez bonne précision les cartes que vos adversaires ont en main.

Entraînement, entraînement, entraînement

Comme tout ce qui dans la vie mérite d'être atteint, devenir un bon joueur de poker vous demandera beaucoup de travail et d'entraînement. Lorsque j'ai commencé la magie, j'ai consacré tous mes instants de temps libre à me perfectionner. J'avais le même enthousiasme vis-à-vis du poker parce que j'étais passionné par ce que je faisais. Si je me lance dans une activité, je veux être le meilleur. C'est quelque chose d'inné chez moi. Selon vos critères, vous direz qu'il s'agit d'une qualité ou d'un défaut.

Lorsque j'ai commencé à jouer au poker, je travaillais encore comme serveur et je continuais les spectacles de magie au restaurant Birk, à Santa Clara, pour subvenir à mes besoins. Un jeudi, je suis parti jouer au Hold'em à 11 heures. La partie a duré jusqu'à 17 heures, heure à laquelle je reprenais mon service. Une fois mon service terminé, je suis retourné au casino à 23 heures. J'ai joué jusqu'à 10 h 30 avant de rejoindre le restaurant pour le service de midi. Une fois le service de midi terminé, j'ai regagné la salle de poker. À partir de minuit, j'ai ressenti les premières impressions de délire et le joueur assis à ma droite m'a dit que je n'avais pas l'air dans mon assiette. Je lui ai demandé si c'était mauvais de rester plusieurs jours sans dormir. Il m'a répondu que c'était dangereux et que je mettais ma santé en péril. En entendant cela, j'ai paniqué et, mon état proche du délire aidant, j'ai ramassé mes jetons et suis rentré me coucher.

Aujourd'hui, je ne recommanderais à personne de jouer pendant une trop longue période. Si vous êtes fatigué, votre jeu s'en ressentira. Sauf si la partie est vraiment très profitable, j'arrête de jouer quand je ressens les premiers signes de fatigue. Vous n'avez pas besoin d'un bankroll important pour vous entraîner ni d'habiter à côté d'une salle de poker pour trouver des parties. Quand je partageais un appartement avec Phil Laak, nous jouions pour savoir qui descendrait la poubelle, ferait la vaisselle ou passerait l'aspirateur. Choisissez un enjeu quelconque et vous avez une partie à jouer.

La position est l'élément déterminant en Hold'em

Le Texas Hold'em est un jeu de position. Si vous jouez après votre adversaire, vous avez des informations sur sa main alors qu'il n'a aucune information sur la vôtre. Savoir ce que votre adversaire va faire avant de prendre votre décision est un avantage considérable. Lorsque vous avez la position, vous devez exploiter cet avantage. Vous devez contrôler la table. Vous pouvez élargir votre choix de mains de départ. Si vous parvenez à lire les mains de vos adversaires, avoir sur eux l'avantage de la position vous permettra de les battre. Votre lecture prend alors le pas sur vos propres cartes. Si vous savez que votre adversaire n'a pas une bonne main, vous pouvez alors tirer profit de la position pour le battre. Pour gagner en cash game, vous devez maximiser tous les avantages que vous pourrez avoir. Après de bonnes cartes, avoir la position est le meilleur avantage que vous pourrez avoir à une table de poker.

Ne jamais manquer une occasion d'apprendre et de se tester

Bien avant que je ne devienne connu en tant que joueur de poker, Phil Hellmuth donnait une soirée chez lui pour les joueurs de poker qui participaient au tournoi organisé par le Shooting Star, à San Jose. Je ne figurais pas sur la liste des invités. Mais, comme San Jose est ma ville, Phil m'a appelé pour que je fasse un spectacle de magie au cours de la soirée. J'ai accepté à une condition. Mes gages se montaient à 250 dollars mais je voulais autre chose. J'ai dit à Phil que j'acceptais à condition qu'il m'affronte à quitte ou double en tête à tête en No Limit Hold'em. Phil a gracieusement accepté.

La soirée s'est bien déroulée, mais j'étais impatient de jouer contre Phil. Quelques jours plus tard, je suis retourné chez Phil pour disputer notre tête-à-tête. Cela n'a pas traîné. À la quatrième main, j'ai eu 5-5 et Phil a reçu A-A. Il a relancé avant le flop et j'ai suivi. Le flop a révélé D-2-2. Phil a de nouveau misé et j'ai suivi. Le 5 est sorti au turn et j'ai écrasé Phil.

Dès que j'ai commencé à jouer, j'ai toujours cherché à affronter les meilleurs joueurs. Je défie les meilleurs et j'apprends à leur contact. À cause de mon ego, je n'ai pas toujours fait les meilleurs choix en choisissant mes parties. Néanmoins, chaque fois que j'ai joué contre de très bons joueurs, j'ai observé et absorbé chaque détail de leur jeu. Les leçons que j'ai apprises au cours de ces parties ont largement contrebalancé mes pertes.

Attention, je ne suis pas en train de vous conseiller de chercher une partie avec des joueurs de premier ordre ! Je suis en train de dire que vous devriez toujours être attentif à ce que font vos adversaires et que, si vous repérez un bon coup, vous devez l'apprendre. J'ai appris beaucoup en observant les meilleurs. Je voulais jouer contre Phil parce que l'expérience valait 250 dollars et que, si je gagnais, je pourrais raconter au monde entier que j'avais battu Phil en tête à tête. Aujourd'hui, Phil et moi sommes de bons amis.

Quelques mots à propos du bankroll

Pour être sûr de ne pas jouer la peur au ventre, vous allez avoir besoin d'un bankroll assez important pour le type de jeu auquel vous allez jouer. Si je joue au No Limit Hold'em, je veille à avoir le tapis le plus important de la table, et cela pour deux raisons. Tout d'abord, cela me permettra de remporter tout le tapis d'un adversaire si je parviens à l'attirer dans un piège. Ensuite, cela me permet d'avoir le contrôle de la table.

Si vous débutez dans le poker, je vous conseille fortement de constituer une réserve d'argent pour vos parties de poker. Si vous avez peur pour votre bankroll, vous allez vous inquiéter chaque fois que vous allez miser. Lorsque vous rejoignez une table, vous devez toujours considérer vos jetons comme des outils de travail et rien de plus. Si vous commencez à regarder vos jetons comme l'argent du loyer ou du dîner, vous allez perdre.

Si vous débutez en No Limit Hold'em, vous pourrez préférer jouer avec un petit tapis. Cela vous permettra de minimiser vos pertes le temps de vous familiariser avec le jeu. Vous pouvez toujours constituer un plus gros tapis ou vous recaver si vous avez tout perdu. En commençant avec un tapis plus petit, vous rendez votre processus de décision plus facile. Vous avez plus de chance de faire un *tough call* que coucher une meilleure main si vous ne vous inquiétez pas de perdre la totalité de votre mise de fonds. À terme, vous devez avoir l'objectif de vous asseoir avec le plus gros tapis, mais ne vous précipitez pas. Il faut de la patience et de la discipline pour réussir au poker. Il n'est pas conseillé de vous asseoir à la table avec le plus gros tapis si vous n'avez pas les qualités pour en tirer avantage. Tant que vous n'aurez pas les qualités nécessaires, vous ne ferez que risquer plus d'argent que nécessaire.

NE PAS CÉDER À L'EXCÈS DE CONFIANCE

Il y a une grande différence entre jouer sans peur et devenir trop confiant. Le poker peut se révéler un jeu humiliant. Pour y réussir, il faut beaucoup de patience et de discipline et la capacité de lire vos adversaires. Même si vous êtes le meilleur joueur de la table, vos adversaires ne vont pas vous laisser gagner pour autant. Vous devrez choisir le bon moment pour attaquer. Pour cela, vous devrez rester concentré sur tout ce qui se passe à la table. Dès que vous penserez pouvoir passer en pilote automatique et juste passer la table en revue, vous risquez d'avoir un réveil difficile.

Il y a quelques années, je réussissais plutôt bien et j'ai laissé mon ego tout gâcher. Je jouais souvent au Commerce, à Los Angeles. Je suis entré un jour et j'ai vu cet imbécile assis derrière une montagne de jetons. Je me suis assis à sa table la bave aux lèvres en le regardant jouer avec son tas de jetons. Eh bien, il n'a pas fallu longtemps à l'imbécile en question pour m'écraser et me renvoyer chez moi, avec la tête qui tourne ! Cet imbécile était Scott Lundgren, avec qui j'ai fini par devenir ami et auprès de qui j'ai beaucoup appris en l'observant jouer. Comme je l'ai déjà dit, Scott est le meilleur joueur de cash game que je connaisse.

Ne laissez pas votre ego nuire à votre jeu. Souvenez-vous que votre but est de gagner de l'argent et que le poker est le jeu de toute une vie. Les meilleurs joueurs savent que si la partie est équitable, après plusieurs heures de jeu, ils vont gagner de l'argent. Savoir cela leur permet de garder leur confiance intacte tout le temps. Malgré l'apparente simplicité de ce concept, peu de joueurs semblent capables de le mettre en pratique.

ACCEPTER LA DÉFAITE

Comme j'ai déjà eu l'occasion de le dire, la défaite fait partie du jeu. Tous les joueurs de poker traversent des périodes difficiles, des périodes où ils perdent de l'argent. Ce qui en fin de compte sépare les bons joueurs des mauvais, c'est leur capacité de réaction pendant ces mauvaises périodes.

N'importe quel tocard peut gagner s'il reçoit les bonnes cartes. La façon dont vous réagissez dans les périodes difficiles fait de vous un joueur ou peut vous briser.

Il est très difficile de garder confiance lorsque vous perdez, même si vous jouez bien. Lorsque votre bankroll diminue, il est facile de craquer. Analysez quel type de joueur vous êtes. Si vous avez besoin de rétablir votre confiance, prenez du temps pour travailler cet aspect. Faites une pause ou redescendez d'une limite. Remportez un coup et quittez la partie sur une main gagnante. Faites tout ce qui vous permettra de reprendre confiance dans votre jeu. Votre objectif ultime est, bien sûr, d'établir un niveau de confiance qui vous permettra d'éviter les pauses de reprise de confiance. Votre ego sera sous contrôle. Vous pourrez laisser vos émotions en dehors de la salle de jeu. Vous comprendrez rapidement que, si vous choisissez la bonne partie (choisir une partie dans laquelle vous avez l'équité) et que vous jouiez plusieurs heures, vous gagnerez de l'argent. Avec votre nouvel état de confiance et même un équilibre émotionnel, vous serez capable de conserver votre niveau de jeu pendant vos mauvaises périodes.

Il y a quelques années, un dimanche soir, Phil Laak et moi rentrions de Reno vers l'appartement que nous partagions à San Jose. Nous avons été surpris par une tempête de neige. J'étais au volant, j'ai dérapé sur une plaque de verglas et la voiture a fait un tour de 360 degrés sur l'autoroute. Phil a insisté pour prendre le volant. Dix minutes plus tard, la voiture faisait un nouveau tour à 180 degrés et a entamé une glissade vers les autres voitures. Heureusement, nous n'avons percuté personne. Je n'ai pas besoin de vous dire qu'après ces deux mésaventures nous n'en menions pas large.

Pendant tout le reste du retour, nous n'avons pas dépassé le 10 km/h. Lorsque nous sommes enfin arrivés à notre appartement, la seule chose que je désirais était de rentrer et de me réchauffer. Phil, en revanche, a sauté dans sa voiture et s'est rendu au casino de Garden City. Je me suis reposé et mis au lit. Lorsque je me suis réveillé le lendemain matin, j'ai vu que Phil n'était pas rentré. Je lui ai passé un coup de fil ; il était encore en train de jouer dans une partie de Limit Hold'em à 20-40 dollars. J'ai fait quelques courses ce jour-là, ai rendu visite à quelques amis et suis rentré. Je me suis mis au lit. Le lendemain mardi matin, Phil n'était toujours pas rentré. Je lui ai repassé un coup de fil et il était toujours en train de jouer. La journée de mardi s'est déroulée sans encombre et, avant que je m'en sois rendu compte, nous étions déjà mercredi et Phil était toujours en train de jouer.

À l'époque, il n'y avait pas autant de parties de cash game de No Limit qu'aujourd'hui. Le Lucky Chances, à Colma, offrait le mercredi soir une partie de No Limit très rentable et j'étais impatient de m'y rendre. J'ai rappelé Phil le mercredi matin et il m'a répondu que sa partie de Limit à San Jose était trop rentable et qu'il n'irait pas à Colma. Je suis allé joué à la partie de No Limit et, à 19 heures, la partie devenait vraiment intéressante. J'ai appelé Phil. Les affaires allaient bien pour lui dans sa partie en Limit mais il m'a dit que les choses commençaient à se tasser. Il a donc décidé de faire le voyage de 45 minutes de San Jose à Colma. Il est arrivé à Colma et nous avons joué jusqu'à minuit, heure où la partie a pris fin. J'ai décidé de rentrer à l'appartement, mais Phil, ayant perdu 700 dollars pendant cette partie de No Limit, a déclaré qu'il ne voulait pas partir perdant et a donc rejoint une table de Limit à 15-30 dollars. Notez bien que les 700 dollars qu'il venait de perdre n'étaient rien par rapport aux 7 000 dollars qu'il avait gagnés au cours des quatre derniers jours à San Jose. Pourtant, Phil ne voulait pas quitter Colma perdant. Donc, ce n'est que jeudi matin à 8 heures que Phil est rentré à l'appartement en annonçant fièrement qu'il avait gagné

720 dollars dans la partie de Limit à Colma, ce qui lui a donné la force mentale de quitter la table.

Bien que je ne conseille à personne de jouer aussi longtemps quelles que soient les circonstances, j'ai décidé d'inclure cette histoire à mon récit pour vous montrer que même les plus grands joueurs ont parfois besoin de rétablir leur confiance.

GARDER LA FORME

Le poker peut être harassant. Les joueurs professionnels sont connus pour être des oiseaux de nuit. Nous jouons souvent jusqu'à l'aurore. Avec le calendrier des tournois en pleine expansion, nos vies peuvent être extrêmement animées. Les voyages sont à présent nombreux et le nombre croissant de tournois nous oblige souvent à jouer en moyenne seize heures par jour. Entre deux tournois, nous essayons de jouer dans le plus de parties de cash game possibles. Ajoutez maintenant les contrats de sponsoring, les camps de poker, les interviews et les tentatives pour garder un tant soit peu de vie privée, et il ne nous reste pas beaucoup de temps pour faire autre chose. Il peut devenir très difficile d'avoir une vie saine sans un minimum de discipline.

Je suis intimement convaincu que la santé physique renforce le mental. Je veille à avoir une alimentation équilibrée même lorsque je suis sur la route. C'est tellement tentant lorsque vous jouez au poker toute la journée de se contenter d'un cheeseburger avec des frites à la table. Si rien d'équilibré n'est disponible à la table, faites un break et partez à la recherche de quelque chose de bon au goût et pour la santé.

Faites de l'exercice régulièrement. Les tournois de poker peuvent être exténuants. Un tournoi de cinq jours demande beaucoup d'endurance. Même si vous ne jouez que dans un tournoi d'une journée, avec le nombre d'entrées en constante progression ils peuvent durer toute la nuit. La dernière chose que vous voudriez serait de batailler toute la journée pour atteindre la table finale et de manquer d'énergie alors que vous vous rapprochez des places payées. Faites le nécessaire pour rester motivé et en bonne forme physique. J'ai, depuis quelques années, fait un pari avec un de mes vieux amis, David Wells. Nous devons chacun nous astreindre à une session d'exercice physique d'au moins 45 minutes quatre fois par semaine. Si l'un de nous manque une séance il doit verser 500 dollars à l'autre. L'argent peut être une bonne source de motivation.

JOUER EN AYANT L'ESPRIT CLAIR

Gagner au poker demande une concentration totale. Si vous n'êtes pas concentré, ne jouez pas. Si vous avez des problèmes d'ordre personnel ou si quelque chose vous perturbe, ne jouez pas. Attendez jusqu'à ce que votre esprit soit uniquement consacré au poker. Ne considérez pas le poker comme un dérivatif. Considérez-le comme votre métier et accordez-lui toute l'attention qu'il mérite.

DONNER TOUJOURS LE MAXIMUM DE DÉSINFORMATION

Un collègue joueur, Marcus Ru, a un jour prononcé une de mes phrases préférées : "Donnez toujours le maximum de désinformation." Le poker est un jeu basé sur l'information incomplète. Votre but est d'essayer d'avoir la meilleure lecture de vos adversaires afin de compléter cette information. Le but de vos adversaires est d'avoir une lecture de votre jeu. Vous devez à la fois attaquer et vous défendre. Laissez vos adversaires dans le flou en variant votre jeu et en leur donnant une information incomplète.

Phil Laak est le meilleur en matière de désinformation. Il a vraiment du génie pour faire croire à ses adversaires qu'il ne sait pas ce qu'il fait alors qu'en fait il sait parfaitement où il va. Malheureusement pour Phil, je crois que de plus en plus de personnes ont les yeux rivés sur lui à cause de son succès et de sa grande popularité.

Il n'y a pas de cuillère

Vous rappelez-vous cet affreux petit garçon dans le film *Matrix* qui déclare qu'il n'y a pas de cuillère ? Si vous n'avez pas vu ce film, il veut dire par là que la cuillère n'est qu'une illusion. Ne perdez pas votre temps à essayer de la tordre. Analysez plutôt votre propre comportement pour procéder à quelques ajustements. Le poker demande beaucoup d'autocritique. Il est impossible de jouer parfaitement au poker. Vous pouvez, néanmoins, minimiser vos erreurs et maximiser vos profits en prenant les décisions correctes. Cherchez ces décisions en vous et arrêtez de vous inquiéter à propos de changements externes. Si vous êtes constamment dans l'attente que la carte idéale sorte du paquet, vous ne cherchez pas dans la bonne direction. Vous feriez mieux de réfléchir en quoi cette carte peut ou ne peut pas vous aider et que faire dans une telle situation. Et, si vous n'avez pas encore vu *Matrix*, allez le louer. C'est un bon film et cela pourra vous permettre d'améliorer votre jeu. N'oubliez jamais, il n'y a pas de cuillère.

La motivation

Afin de conserver votre concentration et de profiter au maximum de chaque occasion, vous devez avoir la motivation adéquate à la table. Les parties de cash game peuvent être harassantes. La différence entre un gagnant et un perdant est très étroite. Souvent, un pot par heure est la différence entre les deux. Économiser une mise ou deux en cours de route et ramasser un pot alors que vous n'avez rien mais que vous savez que vos adversaires n'ont rien non plus fera une grande différence. Si vous jouez machinalement, vous ne prendrez pas les décisions qui vous permettraient de faire la différence. Trouvez quelque chose qui nourrira votre motivation.

J'ai commencé à jouer au poker peu de temps après avoir obtenu mon diplôme de fin d'étude secondaire. On me considérait un peu comme un fumiste au lycée, mais cela ne me dérangeait pas. J'utilisais cette image de façon positive. Je voulais réussir. Je savais que je ferais de grandes choses mais je ne savais vers quelle carrière j'allais me tourner. Après le lycée, je souhaitais aller à la fac et ensuite ouvrir un restaurant et un bar et commencer à bâtir un empire. Par un coup du sort, je suis devenu magicien et, environ deux ans plus tard, je suis devenu joueur de poker. Lorsque j'ai commencé à jouer, je me suis complètement immergé dans le jeu. J'ai ingurgité tout ce que je pouvais et ai cherché tous les avantages possibles. Je voulais gagner et réussir de grandes choses. Utilisez tout ce qui peut vous motiver. Même si j'ai rencontré beaucoup de succès en tant que joueur de poker, je reste toujours aussi motivé par ma prochaine réunion d'anciens élèves.

PRENDRE DU PLAISIR

La vie est tellement courte que j'essaye de m'amuser quoi que je fasse. Si vous décidez de devenir un joueur professionnel, faites votre possible pour vous amuser et rendre la chose intéressante. Les parties de cash game peuvent être harassantes. Ce n'est pas par hasard que seuls les tournois sont diffusés à la télévision. Jouer correctement peut se révéler extrêmement fastidieux. Si vous perdez votre concentration, vous êtes en danger. Veillez à toujours rester concentré sur le jeu. Pariez avec vous-même sur les mains de vos adversaires. Si vous avez un ami à la table, faites des paris entre vous. Avant tout, ne perdez jamais votre motivation.

J'avais l'habitude de jouer à un jeu avec un des joueurs qui m'a le plus appris : Eldon Elias. Eldon jouait au poker depuis plus de trente ans. Il vendait des poissons au noir et son surnom est Cajun Slick. Il a une fois remporté une main importante avec 5-2 il y a très longtemps et, depuis, cette main a été baptisée Cajun Slick dans son cercle de jeu. Une nuit, alors que nous étions en train de jouer, Eldon m'a dit : "Il te faut une main qui porte ton nom."

Au cours de cette nuit j'ai remporté trois pots monstrueux avec 9-7 et j'ai donc décidé que 9-7 serait baptisée "le tapis volant" en mon honneur. Eldon m'a regardé un moment avant de déclarer : "Non, à partir d'aujourd'hui, 9-7 portera le nom de tapis volant *perse*."

Donc, si vous devenez joueur professionnel, amusez-vous. Avec Phil L. nous avons inventé un tas d'acronymes pour décrire nos adversaires et les situations, acronymes que nous utilisons pour détendre l'atmosphère. Vous trouverez les acronymes que nous utilisons le plus à la fin de ce livre.

J'essaie de profiter au maximum de chaque jour et de trouver un aspect positif à toutes les situations que je rencontre, même les plus difficiles. Si vous perdez tout votre bankroll à la table, dites-vous que vous pouvez encore prendre une douche chaude demain matin et que tout le monde ne peut pas en dire autant. Nous avons tous tendance à prendre pour acquis les petites choses de la vie. Profitez-en tant que vous le pouvez parce que cela se terminera avant que vous ayez eu le temps de vous en rendre compte.

CHAPITRE 3

Vos premiers pas

Je suis certain que beaucoup d'entre vous sont des joueurs expérimentés à la recherche d'un avantage. Néanmoins, je souhaite rassurer les débutants ou ceux qui ont joué de nombreuses heures sur Internet ou dans des parties entre amis mais qui n'ont jamais mis les pieds dans un casino. À partir du moment où vous choisissez une partie qui vous convient, vous n'avez aucune raison de vous inquiéter. Utilisez ce que vous allez apprendre dans ce livre et jouez votre jeu. Si vous avez des questions, n'hésitez pas à demander. Vous constaterez que les croupiers, les directeurs de salle et même les autres joueurs sont prêts à vous aider. Il n'y a pas de questions stupides, surtout quand vous risquez de l'argent.

Les participants au premier tournoi Bad Boys of Poker du WPT : Paul Darden Jr, Phil Laak, David « Devilfish » Uliott, Antonio et Gus Hansen.

La plupart des casinos ont une liste d'inscription à l'entrée de la salle de poker. Les parties et les jeux proposés sont inscrits mais, là encore, si vous avez une question n'hésitez pas à la poser. Inscrivez-vous dans la partie de votre choix et votre nom sera porté sur la liste. S'il reste des places libres, on vous attribuera une place tout de suite. Mais, dans le contexte actuel, il vous faudra certainement patienter un peu, surtout aux heures de grande affluence. Vous avez la possibilité de vous inscrire dans autant de parties que vous le désirez. Cela augmente vos chances de rejoindre rapidement une table.

Une partie normale de cash game de Hold'Em comprend neuf ou dix joueurs, cela dépend des casinos. Les tables seront généralement complètes. On désigne souvent ces parties sous le nom de *ring game* [1] parce qu'il y a un cercle complet autour de la table. Néanmoins, en

1 *Ring* signifie anneau, cercle en anglais (NdT).

heures creuses, vous pourrez trouver un siège vide autour d'une table. Les parties avec moins de sept joueurs sont désignées sous le nom de *tables shorthanded*. Vous trouverez pas mal de tables shorthanded aux heures creuses. De nombreux sites Internet proposent également des tables de cash game avec un nombre maximal de six joueurs. Vous allez devoir adapter votre jeu si vous désirez rejoindre une table shorthanded. Nous verrons comment au chapitre 10. Enfin, il existe également des parties en tête à tête au cours desquelles deux joueurs s'affrontent. Vous trouverez rarement des tables en tête à tête dans les casinos ou les salles de jeu pour la simple raison que ce ne serait pas rentable pour ces établissements d'immobiliser une table et un croupier pour seulement deux joueurs. En revanche, les parties en tête à tête deviennent de plus en plus populaires sur Internet. J'ai donc décidé d'inclure un chapitre sur les stratégies spécifiques à ce type de partie dans ce livre (au chapitre 11).

Une fois que vous vous êtes inscrit sur une liste, ne vous éloignez pas trop. Vous serez appelé dès qu'un siège se libérera. Affichez votre *poker face* et installez-vous.

Ça y est, vous êtes prêt à vous asseoir à une table de cash game de Texas Hold'Em. Mais, attention, il existe quelques règles de base à connaître avant de rejoindre la table et d'autres que vous devez avoir constamment à l'esprit tout au long de la partie.

Le premier point à prendre en compte est le choix de la partie. Quel type de partie voulez-vous rejoindre ? Vous devez choisir une partie dans laquelle vous avez un avantage ; en d'autres termes, une partie dans laquelle vous avez une espérance de gain positive ou, si vous préférez, une espérance de retour sur investissement positive. Vous devez apprendre à avoir une vision objective du poker, comme vous le feriez pour n'importe quel investissement. Vous devez conserver cette objectivité même si vous ne jouez que pour vous amuser. Après tout, que vous soyez un professionnel confirmé ou un joueur de parties entre amis du vendredi soir, votre but demeure de gagner de l'argent. Par conséquent, vous devez choisir une partie dans laquelle vous avez une chance de gagner. La qualité des adversaires augmente généralement avec les limites.

Vous devez choisir non seulement une table avec des adversaires que vous avez une chance de battre mais également une partie en fonction de votre bankroll. Même si vous pensez que les joueurs à la table de Limit à 15-30 dollars sont faibles, vous ne devez pas vous asseoir à cette table si vous n'avez qu'un tapis de 300 dollars. Vous ne pourrez pas jouer librement avec un si faible tapis. Un bad beat et votre bankroll se trouvera sévèrement amputé. Avec un petit tapis, vous allez jouer trop prudemment ou, pire, avec la peur au ventre. Comme j'ai déjà eu l'occasion de le dire, si vous avez peur de perdre, vous n'avez aucune chance. Vous serez la proie et non pas le chasseur.

Par conséquent, quel est le montant de la cave idéale ? Personnellement, dans une partie de Limit, j'aime avoir une cave cinquante fois supérieure à la big blind. Je considère qu'il y a beaucoup d'avantages à s'asseoir avec une grosse cave. Vous donnez une image de force à vos adversaires. Il ne s'agit pas d'un nombre magique ni d'un nouveau nombre d'or. Si vous préférez choisir une cave de seulement vingt ou trente fois le montant de la big blind afin de minimiser vos pertes si les choses devaient mal tourner, je n'ai absolument rien à y redire. En revanche, si vous ne pouvez pas prendre une cave supérieure à dix fois le montant de la big blind, je vous conseille de choisir une partie proposant des limites moins élevées. Avec seulement dix fois la big blind, vous allez jouer la peur au ventre, et l'odeur de la peur fera saliver tous les requins de la table.

En No Limit, l'analyse est quelque peu différente. Les plus petites parties de No Limit (comme les parties avec des blinds à 1-2 dollars et à 2-5 dollars) fixent toutes un montant maximal de cave puisque, en No Limit, vous pouvez miser votre tapis lorsque vous le désirez. Personnellement, j'aime choisir le maximum autorisé. Je pense que cela me donne un avantage psychologique mais qu'en plus cela me permet de maximiser mon avantage à la table. Je ne rejoindrais pas une table à laquelle je n'ai pas l'avantage. Je veux donc avoir suffisamment de jetons pour maximiser les profits que je peux espérer retirer de cet avantage.

En revanche, si vous voulez rejoindre une limite plus élevée ou essayer un autre type de partie, vous devez faire preuve de prudence. Dans les plus grosses parties, il n'y a pas de cave minimale. Toutes les parties avec des blinds à 5-10 dollars et au-dessus tombent dans cette catégorie. Lorsque je m'assieds à une de ces tables, je veux avoir le plus gros tapis de la table. Cela, bien sûr, n'engage que moi. En No Limit, vous pouvez perdre votre tapis sur une seule main. Par conséquent, je vous conseille de choisir une somme qui ne vous manquera pas si les choses devaient mal tourner pour vous. Vous pouvez toujours vous recaver si vous perdez votre première cave. Cela ne vous sert à rien de choisir une cave plus importante si cela doit vous paralyser et nuire à votre jeu. Si vous avez peur de perdre cette cave plus importante, vous ne pourrez pas gagner. Par conséquent, je vous conseille de choisir un montant de cave qui vous permettra de jouer de façon agressive mais sans crainte.

Là encore, si vous choisissez une cave trop faible, vous abandonnez trop. Avec une cave de vingt fois la big blind, tous les avantages que vous pourriez avoir à la table s'en trouvent fortement diminués. Vous ne gagnerez pas assez d'argent même lorsque vous aurez une bonne main. Par exemple, imaginons que vous floppiez le tirage couleur max et qu'un adversaire moins expérimenté ait une couleur moins haute, vous allez certainement tous les deux engager vos tapis dans le pot. Si vous avez choisi le montant minimal, vous ne pourrez pas retirer la valeur maximale de votre main. Examinons maintenant un autre aspect de cette main. Que se passe-t-il si vous avez la plus petite couleur ? Si vous vous asseyez avec le plus gros tapis, vous devez être capable de coucher ces mains. Cela signifie que vous devrez être capable de reconnaître lorsque votre grosse main est battue par celle de vos adversaires et avoir la discipline de jeter ces mains. Si vous n'en êtes pas capable, alors, ne choisissez pas la cave maximale.

Dans une partie de No Limit, il y aura une corrélation directe entre votre expérience et le montant de votre cave. Plus vous aurez d'expérience, plus important sera le montant de votre cave. Les joueurs les plus expérimentés cherchent à maximiser leurs gains. Ils veulent avoir un tapis important afin de retirer la valeur maximale d'une bonne main ou pour avoir suffisamment de jetons pour faire fuir un adversaire lorsque la situation se présente. En fait, dans les plus grosses parties de No Limit, il n'y a généralement aucune limite à la cave. Si vous avez moins d'expérience, vous devrez envisager de choisir une cave moins importante. Lorsque vous choisissez un tapis moindre, vous réduisez le nombre de décisions que vous aurez à prendre. La plupart de vos décisions seront prises avant le flop en fonction de vos mains de départ et de la position. Avec un petit tapis, vous avez moins de risques de vous retrouver dans beaucoup d'actions après le flop à moins que vous touchiez un flop très favorable.

En No Limit, les décisions sont plus difficiles à prendre lorsque vous avez un tapis important et que vos adversaires ont eux aussi des tapis profonds. Dans ces circonstances, les meilleurs joueurs et ceux qui ont le plus d'expérience ont l'avantage. Par conséquent, si vous avez moins d'expérience ou si vous débutez à une nouvelle limite, choisissez un tapis moindre. Vous pouvez emmagasiner beaucoup d'expérience sans mettre en péril votre bankroll ou donner à des joueurs plus expérimentés l'occasion de vous battre. Veillez seulement à avoir assez d'argent pour pouvoir vous montrer agressif. Sinon trouvez une table avec des joueurs expérimentés. Vous ne devez pas vous asseoir à une table de No Limit à 10-20 dollars avec 300 dollars alors que le tapis moyen est supérieur à 2000 dollars. N'oubliez pas que, pour être agressif, vous devez parier un montant supérieur à ce que votre adversaire peut se permettre de perdre mais que vous pouvez vous permettre de perdre.

Autre élément que vous devrez toujours prendre en compte : les gains en cash game se mesurent sur le long terme. Vous allez connaître des hauts et des bas. Tous les joueurs, y compris les meilleurs joueurs du monde, connaissent des mauvaises passes. La réussite au poker se mesure sur le long terme. Les bons joueurs le savent. Une fois que vous l'avez accepté, vous serez mieux armé pour éviter les revers émotionnels causés par les bad beats et les mauvaises passes. Vouloir une rémunération immédiate est inhérent à la nature humaine. Le poker peut souvent vous l'offrir. D'un autre côté, il peut aussi vous apporter un bad beat. Si, dans ces moments-là, vous laissez vos émotions vous envahir, vous allez perdre votre concentration. Le meilleur moyen d'éviter cela : ne jamais raconter d'histoire de bad beat. J'en suis tellement convaincu que je vais le répéter encore une fois : ne racontez *jamais* une histoire de bad beat. Ces histoires ne vous empêcheront jamais de perdre et, de toute façon, personne ne veut les entendre.

Envisagez le poker à long terme. Les revers ne doivent pas affecter votre jeu. Il y a des joueurs qui ne peuvent pas quitter la table lorsqu'ils sont perdants. Ils insistent parce qu'ils veulent récupérer leur argent. Ils feraient mieux de se demander pourquoi ils sont en train de perdre. Peut-être jouent-ils mal ou peut-être sont-ils fatigués ? Dans tous les cas, s'ils perdent, ils ont de grandes chances d'avoir une mauvaise image à la table. Si c'est le cas, leurs adversaires ont un avantage. Ils seraient certainement mieux inspirés, dans ces circonstances, de prendre une pause ou de quitter la table. Ils pourront toujours trouver une autre partie plus tard, voire le lendemain.

En revanche, il y a des jours où, même lorsque vous serez en train de perdre, vous ne devrez pas quitter la table. Si vous jouez bien et que vous êtes persuadé d'être plus fort que les autres joueurs présents à la table, vous devrez continuer de jouer même si vous êtes en train de perdre tant que vous vous sentez en forme et capable de jouer. Tous les joueurs de poker connaissent des hauts et des bas. N'importe quel joueur peut bien jouer lorsqu'il gagne. Le vrai test pour un joueur de poker se situe dans la défaite, dans sa façon de jouer lors des mauvaises passes.

Comment savoir si vous devez continuer de jouer alors que vous êtes en train de perdre ? Si vous êtes fatigué ou si vous commettez des erreurs, alors, c'est peut-être le moment de quitter la table. Mais il est beaucoup plus difficile de comprendre quand vos adversaires ont une bonne lecture de votre jeu et vous mettent sous pression. Ne perdez jamais de vue la façon dont vous perçoivent vos adversaires. Leur perception de votre jeu peut être différente de l'image que vous pensez projeter. Si votre image à la table est écornée, il est temps de quitter la table. Rentrez chez vous et revenez un autre jour.

Je suis un joueur de poker professionnel. Cela signifie que je considère le poker comme mon métier. Même si vous ne jouez pas pour gagner votre vie, apprenez à considérer le poker comme un métier. Comme dans tous les métiers, le but est de gagner de l'argent. Comme dans les autres métiers, vous aurez des dépenses. Les antes, les blinds, les cotes du pot et les bad beats que vous subirez font partie des dépenses. Par conséquent, la prochaine fois que votre adversaire touchera un tirage improbable sur la river pour vous battre, contrôlez vos émotions.

Oubliez le bad beat et passez à autre chose. Et, surtout, ne racontez pas d'histoire de bad beat !

Maintenant que nous savons que votre partie de poker est votre petite entreprise, notre objectif va être de maximiser vos gains. Pour que vous gagniez, il faut que vos adversaires perdent. Par définition, lorsque vous gagnez, vous bénéficiez d'une bonne image à la table. Vous avez un avantage dans la partie. Vous devez tirer avantage de votre image à la table et maximiser vos gains. Si vous ne parvenez pas à le faire, même si vous gagnez sept sessions sur dix, à long terme vous perdrez de l'argent. Si vous persistez lorsque vous perdez en espérant récupérer l'argent que vous avez perdu ou si vous quittez la table parce que vous êtes gagnant, vous allez certainement perdre plus d'argent pendant vos mauvaises périodes que vous en gagnerez pendant les bonnes périodes.

Comment tirer avantage de votre image favorable à la table ? Montrez-vous plus agressif. Ne relâchez jamais la pression sur les perdants. Attaquez-les quand ils pensent être battus. Tant que vous gagnez, ne quittez surtout pas la table. Continuez de jouer jusqu'à ce que vous ressentiez les premiers signes de fatigue ou de manque de concentration. Lorsque la partie est juteuse, régalez-vous. La plupart des joueurs font le contraire. Ils refusent de quitter la table lorsqu'ils perdent parce qu'ils veulent récupérer leur argent. Mais, parfois, alors qu'ils seront en train de gagner, ils se lèveront en plein milieu de la partie pour quitter la table en gagnant. Votre avantage à la table est toujours plus important lorsque vous gagnez. Votre image à la table sera plus favorable lorsque vous gagnez parce que d'autres joueurs perdent. Si vous ne maximisez pas vos gains pendant ces sessions, vous prenez le risque de réduire votre capacité à gagner de l'argent sur le long terme. C'est pour cette raison que, tant que vous vous sentez bien et que vous parvenez à conserver votre concentration, ne quittez surtout pas la table. Il n'y a que si vous avez besoin de reprendre confiance après une série de bad beats que vous devrez quitter la table sur une victoire. L'expérience aidant, vous n'aurez bientôt plus besoin de ces séances de "reprise de confiance".

À une table de poker, rien ne remplace l'expérience. Après des milliers d'heures passées aux tables de poker gravées dans votre subconscient, vous serez capable de reconnaître les situations et d'avoir une bonne lecture de vos adversaires. Attention, accumuler les heures de jeu ne vous fait pas emmagasiner de l'expérience ! Maximisez votre expérience en restant concentré sur tout ce qui se passe à la table. Étudiez les manies de vos adversaires et leurs habitudes de mises. Il se passe toujours quelque chose à une table de poker même quand vous n'êtes pas impliqué dans le pot. Restez concentré et soyez attentif à tout ce qui se passe.

Chaque main vous apprendra quelque chose. Au fil des parties, l'expérience aidant, vous prendrez les bonnes décisions. Par exemple, imaginons que je sois à la big blind avec A-8 dépareillés dans une partie de Limit. Tous les joueurs jettent leurs cartes sauf le bouton, qui relance. Le small blind jette ses cartes. Je suis. Après le turn, le tableau est 4-5-7-8. Avec la top paire et une carte supérieure, je sais que je vais suivre. Donc, si je sais que je vais suivre, quoi qu'il arrive, je dois être agressif. Je pourrais peut-être même obliger mon adversaire à coucher une meilleure main, comme une paire de 10 ou de valets. Mon adversaire peut craindre que j'aie une quinte parce que l'éventail des mains avec lesquelles j'aurais pu suivre de la big blind est relativement large.

La façon dont je vais jouer certaines situations dépend essentiellement de ma lecture de mes adversaires. Connaître vos adversaires vous permet de prendre les bonnes décisions. Est-ce que cet adversaire relance toujours au bouton lorsque les autres joueurs ont jeté leurs cartes ? Est-ce qu'il ne joue que les mains fortes quelle que soit sa position ? Certains adversaires miseront toujours sur un flop effrayant quelles que soient leurs cartes. D'autres ne miseront que s'ils ont touché leur main. D'autres seront capables de changer de vitesse.

Certains joueurs misent à l'aveugle. Ils jouent leurs cartes et ne prêtent aucune attention à leurs adversaires. Si vous appartenez à cette classe de joueurs, alors, étudiez vos adversaires lorsque vous n'êtes pas impliqué dans une main. Vous pourrez ainsi concentrer toute votre attention sur vos adversaires. Essayez de comprendre leurs actions et quels types d'ajustements ils sont en train de faire. Une fois que vous aurez étudié vos adversaires pendant un moment, prenez quelques instants pour examiner comment vos adversaires vous observent. Vous devez savoir comment vos adversaires vous perçoivent. Le poker est un jeu dans lequel vous devrez constamment ajuster votre jeu. Si un joueur vient de perdre une main, vous devez savoir comment il va réagir et ajuster votre jeu en conséquence et, bien sûr, vous devrez également ensuite ajuster votre jeu en fonction des ajustements qu'il a faits pour s'adapter à votre jeu. Maintenant, multipliez cette équation par huit, et voilà le nombre total d'adversaires en fonction desquels vous devrez ajuster votre jeu pendant qu'ils ajustent le leur au vôtre. Enfin, vous devrez apprendre à manipuler chaque adversaire, à utiliser chaque situation à votre avantage pour amener votre adversaire à faire ce que vous voulez. Lorsque vous n'en êtes plus capable, il est temps de vous lever et de quitter la table. Si, pendant une session, j'ai des doutes quant à mon image à la table, je vais faire un petit test. Je vais choisir une main et jouer de façon agressive afin de voir combien de joueurs réagissent. Si personne ne fuit, je sais qu'il est temps de quitter la table. En revanche, si cela fonctionne, il est temps d'appuyer à fond sur l'accélérateur.

En restant concentré et en faisant attention aux subtilités du jeu, je peux amener mes adversaires à faire exactement ce que je veux. Une fois que vous connaissez vos adversaires et ce qu'ils pensent de vous, la partie va littéralement s'ouvrir. C'est là qu'il devient plus aisé de tirer avantage de la position. Une fois que je connais mes adversaires, mes cartes n'ont plus la moindre importance. Je peux avoir 7-3 ou une paire de rois, c'est la position qui me permettra de remporter le pot. Je vais vous donner un exemple extrait d'une partie que j'ai jouée récemment.

Je me trouve au bouton lorsqu'un joueur effectue un *limp in* en début de position. Trois autres joueurs effectuent eux aussi un *limp in*. C'est à mon tour de parler. Avant même de regarder mes cartes, je sais que j'ai l'avantage de la position. Je connais bien le premier limper. Quant aux autres joueurs, ils ne m'inquiètent pas plus que cela. Le fait qu'aucun d'entre eux n'ait essayé d'envoyer en relançant pour faire fuir des joueurs m'apprend tout ce que j'ai besoin de savoir. Ils ont une main faible. Je ne dois plus que me préoccuper des blinds. Je regarde mes cartes pour découvrir 6-3 de cœur. Je relance pour isoler le premier limper. Comme je m'y attendais, tous les autres joueurs jettent leurs cartes. Je sais qu'il s'agit d'un joueur capable de sous-jouer une main forte. Le flop affiche A-7-7. Mon adversaire mise. Maintenant, je sais que, s'il avait un 7, il aurait certainement checké parce que je sais qu'il aime sous-jouer. Je sais également que, s'il avait un as, il aurait également checké. Comment puis-je le savoir ? Parce que je sais comment il me perçoit. S'il checke, il sait que je vais miser avec n'importe quelle main. Il pensait donc gagner plus en checkant son as qu'en misant. Par conséquent, pourquoi a-t-il misé ?

Maintenant, au lieu de relancer, je me contente de suivre. En me contentant de suivre, j'affiche de la force. Il n'y a aucun tirage couleur ni tirage quinte. Mon adversaire doit croire que j'ai quelque chose. Bien sûr, le turn affiche une carte inoffensive. Mon adversaire checke. Je mise et il jette ses cartes. Je ne saurais vous dire avec précision le nombre de fois où cette situation s'est produite. La force de la position et le fait de se contenter de suivre un adversaire m'ont permis de remporter le pot au tour de mise suivant. Beaucoup de joueurs passifs auraient jeté leur main à la défausse avant le flop ou se seraient débarrassés de cette main après le flop après l'avoir raté. Et, après, ils se demandent pourquoi ils ne touchent jamais de mains. Un joueur réactif, quant à lui, crée les occasions de remporter le pot en manipulant son adversaire grâce à l'avantage de position.

Le poker est un jeu difficile qui réclame de la patience. Vous devez rester concentré en permanence et être attentif au moindre détail. Au bout d'un moment, avec la pratique, vous pourrez analyser chaque main avec précision et réagir en conséquence. Vous ne pouvez pas vous permettre de jouer en mode pilote automatique. Les grands joueurs gagnent de l'argent grâce aux subtilités de la partie. Ils font de petits ajustements que leurs adversaires sont incapables de voir. En vous concentrant et en faisant attention, vous découvrirez ces petits détails.

Avant de vous asseoir à une table de poker, vous devez apprendre les règles de base. Une fois que vous avez commencé à jouer, vous devez vous entraîner à lire la main de vos adversaires. Une fois que vous connaissez la façon de jouer de votre adversaire, vous pouvez le manipuler et le battre. Rien ne remplace l'expérience. Comme le poker est un jeu d'information imparfaite, beaucoup des décisions prises à la table seront fondées sur le *feeling*. Par feeling, j'entends la capacité à se fier à son expérience personnelle pour reconnaître les situations et comprendre à quel type de joueur vous avez affaire.

Vous pourrez peut-être vous en tirer dans les parties à faibles limites en jouant un poker sans fioritures mais, face à des adversaires coriaces, se contenter de jouer la règle vous conduira à votre perte. Aux tables à plus hautes limites ou à celles de No Limit, vous devez être capable de lire vos adversaires et de déjouer leurs pièges. Mais ces outils seuls ne vous permettront pas de gagner.

Au poker, le plus important est de prendre les bonnes décisions. Aucun joueur ne peut prendre les bonnes décisions tout le temps mais les bons joueurs prendront plus souvent les bonnes décisions que les mauvais.

Afin de prendre les bonnes décisions, vous devez comprendre les fondamentaux. Pour cela, vous devrez connaître les cotes pour toucher votre main. Une fois que vous avez déterminé la cote, il est facile de prendre la bonne décision. Si vous êtes sur une main à tirage, comparez les cotes de toucher votre tirage avec la cote du pot.

Pour illustrer ce point, nous allons examiner l'exemple suivant. Imaginons que vous jouez en No Limit Hold'Em avec des blinds à 5 dollars et 10 dollars. Vous êtes en fin de position avec 7-8 de cœur et vous suivez une relance de 10 dollars. Il y a cinq joueurs dans le pot. Cela fait 100 dollars (cinq joueurs avec 20 dollars chacun) plus les 5 dollars du small blind (qui a jeté ses cartes), soit un total de 105 dollars. Le flop affiche Rco-9t-2co, vous donnant un tirage couleur. Le big blind mise 20 dollars, deux joueurs jettent leurs cartes et un joueur suit. Cela ajoute 40 dollars au pot pour un montant total de 145 dollars.

Le prix qui vous est offert est de 145 contre 20 ou de 7,25 contre 1. Vous savez que les chances de toucher une couleur à la prochaine carte sont de 47 contre 9 ou 5,22 contre 1 (il reste quarante-sept cartes dans le paquet dont neuf cœurs). Par conséquent, sur le flop, vous avez une cote de 7,25 contre 1 dans une situation où la cote du pot est de 5,22 contre 1. Puisque vous bénéficiez de la cote, vous allez suivre pour un pot s'élevant maintenant à 165 dollars.

Le turn affiche le 3ca, qui n'améliore le jeu de personne. Le premier joueur mise de nouveau 20 dollars et l'autre joueur jette ses cartes. Devez-vous suivre ou jeter vos cartes ? Là encore, faisons un petit calcul. Il y a maintenant 185 dollars dans le pot (105 dollars avant le flop, 60 dollars de plus après le flop, et maintenant une mise de 20 dollars sur le turn). Il vous coûtera encore 20 dollars de plus pour voir si la river est un cœur, ce qui vous donnerait une couleur et probablement la meilleure main. Si vous savez qu'il reste quarante-six cartes et seulement neuf cœurs, alors vous êtes à 46 contre 9 ou 5,11 contre 1, en d'autres termes vous n'êtes pas favori.

Devez-vous suivre ? Oui. Votre investissement de 20 dollars vous rapportera 185 dollars, sans compter les mises supplémentaires que vous pourrez obtenir après la river si vous touchez votre main. Vos chances sont de 9,25 contre 1 (185 dollars divisés par 20), ce qui est largement supérieur aux 5,11 contre 1 de chances de toucher votre main. Examinons maintenant la même main dans un contexte différent. Au lieu de faire une mise de 20 dollars au turn, votre adversaire relance de 100 dollars (vous êtes à présent dans une partie de No Limit). À présent, il vous coûtera 100 dollars pour en remporter 265. Vous n'avez plus qu'une cote financière de 2,65 contre 1 alors que les chances de toucher votre main sont toujours de 5,11 contre 1. Dans ce contexte, suivre serait une décision stupide. (Seule exception : si vous pensez que vous pourrez remporter beaucoup d'argent en misant après la river si vous avez touché votre main. N'oubliez jamais que, en No Limit, vous pouvez remporter énormément d'argent sur la river si vous touchez votre main puisque vous n'êtes pas limité par le montant des mises ou des relances. Vous pourrez miser le montant que vous estimez que votre adversaire est prêt à payer. C'est dans ces situations que connaître votre adversaire devient extrêmement utile.)

Voilà une différence fondamentale entre le Limit et le No Limit Hold'Em. En Limit, vous êtes limité par le montant des mises quand vous souhaitez protéger votre main. En misant plus au turn, votre adversaire peut rendre votre tirage trop cher pour que vous alliez chercher votre tirage couleur. C'est pour cette raison qu'il est primordial de connaître les cotes du pot. Vous devez calculer si suivre est une option rentable lorsque vous êtes sur une main à tirage. De plus, vous voulez être sûr de miser suffisamment pour rendre les tirages de vos adversaires trop chers. Les bons joueurs prennent les bonnes décisions et obligent leurs adversaires à prendre les mauvaises décisions. Lorsque vous misez suffisamment afin de ne pas offrir une cote correcte à votre adversaire pour suivre, vous ne devez pas vous demander s'il va suivre ou non. S'il jette ses cartes, vous remportez le pot. S'il suit, il prend la mauvaise décision. Même s'il touche son tirage de temps en temps, sur le long terme, vous gagnerez de l'argent lorsque vos adversaires paient un prix trop élevé pour leurs tirages.

Il existe un truc très simple connu sous le nom de la règle de quatre qui peut vous permettre de calculer avec précision la probabilité de toucher votre main après le flop. En multipliant le nombre d'outs par quatre, vous obtenez le pourcentage de chance de toucher votre main si vous allez jusqu'à la river. Par exemple, imaginons que vous ayez Vca-10ca et que le flop affiche deux autres carreaux. Vous avez à présent un tirage couleur, mais quelles sont vos chances de toucher votre tirage si vous allez jusqu'à la river ? Commencez par compter vos outs. Il y a treize carreaux et vous savez qu'il y en a déjà quatre de sortis (les deux dans votre main et les deux sur le tableau) ; cela vous laisse neuf carreaux et donc neuf outs. D'après la règle de quatre, multipliez 9 par 4 et vous obtenez 36 % (le pourcentage réel est de 35 % mais la règle de quatre vous donne une bonne approximation) de chances de toucher votre couleur à la river.

Soyez tout de même prudent en appliquant la règle de quatre. En Limit, il est plus facile de prédire le montant que cela vous coûtera si vous allez voir la river. En No Limit, vous ne pouvez pas savoir combien votre adversaire misera sur le flop ou sur le turn. En No Limit, les débutants font souvent l'erreur d'engager beaucoup trop d'argent dans des mains lorsqu'ils sont sur un tirage. Comme vous pouvez le voir, il existe beaucoup de différences entre le Limit et le No Limit Hold'Em. Dans le prochain chapitre, nous examinerons les autres différences existant entre les deux jeux.

No Limit ou Limit

Pour gagner au poker, il faut prendre les bonnes décisions. Pour pouvoir prendre ces bonnes décisions, vous devez comprendre les différences entre le Limit et le No Limit Hold'Em. Si vous désirez jouer aux deux, vous devez connaître les stratégies propres à chacun de ces jeux. Beaucoup de joueurs qui passent du Limit au No Limit ne parviennent pas à adapter leur jeu, ce qui peut avoir des conséquences désastreuses sur leur bankroll. Nous étudierons en détail les différences précises en termes de stratégie dans les prochains chapitres. Dans ce chapitre, je souhaiterais présenter les différences fondamentales entre les parties de cash game en Limit et en No Limit Hold'Em.

L'avatar d'Antonio dans le nouveau jeu vidéo du World Poker Tour.

Le Limit Hold'Em peut être considéré comme une science. Si vous maîtrisez le concept de sélection des mains de départ et les cotes du pot, vous ne devriez pas rencontrer de difficultés : en clair, vous devez savoir quelles mains jouer en début, en milieu ou en fin de position. Lorsque vous avez une main forte, vous voulez maximiser vos gains tout en protégeant votre main. En d'autres termes, vous allez jouer le livre, suivre les règles. Vous serez limité par la structure du jeu. Vous ne pouvez miser qu'un montant défini à l'avance. Vos adversaires connaissent le montant maximal pour chaque tour de mise. Vous ne pourrez pas piéger un adversaire et lui prendre tous ses jetons lorsque vous toucherez une main monstre. D'un autre côté, vous ne risquerez pas de perdre tous vos jetons sur un coup malheureux. Vous saurez également avec précision combien il vous en coûtera de suivre. Le Limit Hold'Em est un travail de longue haleine.

Si le Limit Hold'Em est une science, le No Limit Hold'Em doit plutôt être considéré comme un art. Les options qui s'offrent à vous sont infinies. Vous avez une plus grande liberté et pouvez faire preuve de créativité. Vos adversaires ne peuvent jamais savoir combien leur coûtera la main et doivent, dès lors, agir avec prudence. L'inconvénient, bien sûr, est que vous devrez vous montrer vous aussi prudent. Vos adversaires peuvent miser la somme qu'ils désirent à n'importe quel moment. Si le tapis d'un de vos adversaires vous couvre, votre tapis est en danger. Bien sûr, vous pouvez remporter le tapis de votre adversaire vous aussi. À cause de cette dynamique, le jeu en No Limit ressemble beaucoup à un numéro de funambule. Lorsque vous relancez ou surrelancez, vous devez être prêt à répondre aux actions de vos adversaires. Un adversaire peut très bien vous surrelancer et aller à tapis. Cela ne peut pas vous arriver en Limit. Il est donc plus facile de relancer si vous savez que si vous êtes surrelancé cela ne vous coûtera qu'une mise supplémentaire pour suivre, et non pas tout votre tapis.

En Limit, avec une bonne main, vous avez presque toujours intérêt à miser ou à relancer afin d'isoler un adversaire. Seuls les joueurs faibles effectueront des limp in ou suivront régulièrement. En No Limit, il est souvent plus judicieux d'effectuer un limp in. Par exemple, imaginons que vous avez une paire de 5 en fin de position et qu'un joueur en position intermédiaire a ouvert avec une relance minimale. Tout le monde a jeté ses cartes lorsque arrive votre tour de parler. En Limit, relancer serait la meilleure solution. Votre adversaire peut avoir un large éventail de mains. Vous battez certaines de ces mains mais êtes dominé par d'autres. En relançant, vous obligez les joueurs assis à votre gauche à jeter leurs cartes. Le premier relanceur peut lui aussi jeter ses cartes, suivre votre relance ou vous relancer à son tour. Même si votre adversaire vous relance, cela ne vous coûtera qu'une mise supplémentaire pour aller voir le flop. Si vous touchez votre flop, tant mieux. Si ce n'est pas le cas, rien n'est perdu puisque rien ne dit que votre adversaire ait amélioré sa main et que vous avez l'avantage de la position. Si vous mettez votre adversaire sur un as fort, un flop avec de petites cartes va vous rassurer. Si des cartes effrayantes font leur apparition au flop, comme A-R-2, et que votre adversaire checke, vous pourrez remporter le pot avec la moins bonne main. En misant, votre adversaire peut jeter une main comme une paire de 9 ou une paire de 10. Tout cela sera possible parce que vous avez joué de façon agressive avant le flop et que vous avez isolé un adversaire.

Examinons à présent le même exemple en No Limit Hold'Em. En fin de position avec une paire de 5 et un relanceur avant vous, vous avez souvent plutôt intérêt à payer. Vous voulez voir le flop. Si vous touchez un 5 au flop, vous avez de bonnes chances de remporter un très gros pot. Vous avez plus de chances de vous retrouver dans un pot à plusieurs joueurs et, si quelqu'un a touché son flop, vous allez pouvoir faire de l'argent. Si vous ratez le flop, vous saurez ce qu'a décidé votre adversaire. S'il mise, vous pourrez jeter vos cartes sans problème. S'il checke, vous pourrez voir une autre carte gratuite ou attaquer si vous pensez qu'il a raté son flop. En revanche, si vous avez relancé avant le flop, vous encourez le risque de subir une forte surrelance, voire une relance à tapis. Si votre adversaire choisit de vous relancer, vous devrez jeter vos cartes sans avoir eu la possibilité de voir le flop. En suivant, vous avez laissé la possibilité aux joueurs après vous, y compris les blinds, de voir le flop. Comme nous l'avons vu, si vous touchez votre flop, vous aurez plus de joueurs susceptibles de vous payer. Mais que se passe-t-il si vous craignez qu'un de vos adversaires ait touché un tirage couleur ou un tirage quinte par le ventre susceptible de battre votre brelan ?

En No Limit, vous pouvez protéger votre main en faisant payer un coût prohibitif à votre adversaire qui cherche un tirage. Vous ne pouvez pas le faire en Limit. Voilà pourquoi vous devez isoler un adversaire avant le flop. Le jeu en No Limit réclame plus de finesse. II y est plus facile de tendre un piège à un adversaire et de remporter de gros pots. Vous pouvez effectuer des limp in plus souvent avec l'espoir de toucher un flop monstre et de récolter un maximum de jetons. Les mains à tirage, comme les petites paires et les connecteurs assortis, ont plus de potentiel en No Limit à cause de la nature du jeu. Par exemple, imaginons que vous fassiez un limp in avec une paire de 3 et que le flop révèle A-10-3 dépareillés. Si un adversaire a un as fort, il lui sera presque impossible de jeter sa main et vous avez une bonne chance de lui prendre l'ensemble de ses jetons. En Limit, cela vous serait impossible. Si un adversaire pense qu'il est battu, il peut se contenter de vous suivre jusqu'à la river et perdre, au pire, trois mises. Même si vous ratez le flop ou ne touchez qu'une partie du flop, vous aurez de nombreuses possibilités de battre votre adversaire après le flop. En No Limit Hold'Em, comme vous n'êtes pas limité par le montant de vos mises ou de vos relances, vous pouvez bénéficier de l'avantage de position et de la situation pour éjecter des adversaires qui pouvaient être également sur un tirage.

En Limit, vous devez prendre des jetons à votre adversaire quand vous avez une main forte. Vous voulez avoir le maximum de mises lorsque vous avez la meilleure main. Les meilleures mains de départ ont plus de valeur en Limit. Des as forts comme A-D ou A-V se jouent plus souvent en Limit Hold'Em qu'en No Limit Hold'Em. Par exemple, imaginons que vous relanciez avec A-D en position intermédiaire en Limit Hold'Em et qu'un joueur en fin de position relance. Cela ne vous coûtera qu'une mise supplémentaire pour aller voir le flop. Imaginons, à présent, que vous touchiez un as. Vous misez. Votre adversaire vous relance. Si vous savez que votre adversaire est un joueur hyperagressif susceptible de jouer n'importe quelle main, vous pouvez le suivre jusqu'à la river sans risquer tous vos jetons. Vous ne pouvez pas vous le permettre en No Limit. A-D n'a pas l'avantage en No Limit Hold'Em. Si vous floppez une paire d'as, vous ne gagnerez pas beaucoup d'argent si vous avez la meilleure main. En revanche, si un adversaire a une main comme A-R, vous pouvez perdre beaucoup d'argent. Que vous jouiez en Limit ou en No Limit Hold'Em, vous devez jouer au feeling. Tout est affaire de contexte. Vous devez connaître vos adversaires. Vous devez connaître leurs habitudes de jeu, leurs tendances et comment ils adaptent leur jeu quand les choses tournent favorablement ou défavorablement. Vous devez vous adapter constamment à la situation. Cela vous réclamera beaucoup d'attention et une concentration maximale. Vous devez être attentif à tout ce qui se passe à la table. En No Limit, vous devrez encore redoubler de vigilance et de concentration.

En No Limit, si vous faites une erreur, vous pouvez perdre tout votre tapis. En Limit, si vous faites une erreur, cela ne vous coûtera que quelques mises.

Si vous débutez en No Limit Hold'Em, vous souhaiterez peut-être jouer avec un petit tapis. En agissant ainsi, vous atteindrez deux objectifs. Tout d'abord, cela limite vos risques puisque vous ne pouvez perdre que les jetons que vous avez sur la table. Ensuite, cela simplifie votre prise de décision. En No Limit, la taille de votre tapis a un impact sur votre stratégie. Avec un petit tapis, vous vous concentrerez plus sur le jeu avant le flop. Vous tenterez moins souvent de piéger vos adversaires puisque vos gains seront limités par la taille de votre tapis. Par conséquent, vous devrez attaquer vos mains fortes après le flop. Cela vous permettra de travailler votre agressivité. Même si cela peut paraître paradoxal, il est souvent plus facile pour les débutants d'être agressif avec de petits tapis plutôt qu'avec des tapis plus larges parce qu'ils mettent moins de jetons en danger. Vous pourrez essayer plusieurs stratégies et plusieurs situations sans mettre en péril votre bankroll. À terme, votre objectif sera de vous asseoir à une table avec un tapis important et de jouer de façon agressive. Attention, vous devrez toujours veiller à ce qu'agressivité ne rime jamais avec stupidité !

La lecture de ce livre vous permettra d'apprendre les principes généraux. Mais n'oubliez jamais qu'au poker rien n'est jamais figé dans le marbre. Néanmoins, une fois que vous avez acquis une bonne connaissance des principes de base, il vous sera plus facile de savoir quand vous écarter de ces principes de base et improviser. En étant attentif et en vous concentrant sur tout ce qui vous entoure, vous pourrez vous adapter rapidement aux différents faits de jeu.

Les joueurs de Limit qui passent au No Limit ont énormément de difficulté à déterminer le montant de la relance. En Limit, le montant de la mise ou de la relance est fixé par la structure de la partie. Votre choix se limite à la décision entre miser ou relancer. En No Limit, ce choix n'est que la première étape de votre processus de décision. Vous devez ensuite choisir de quel montant vous devez miser ou relancer. Vos options sont presque infinies. Les bons joueurs sont ceux qui savent prendre les bonnes décisions.

Comment prendre la bonne décision ? La première question que vous devez vous poser est la suivante : qu'est-ce que je veux obtenir avec cette relance ? Si vous cherchez à isoler un adversaire ou à remporter le pot tout de suite, vous devez effectuer une mise ou une relance substantielle. Si vous tentez d'accroître la taille du pot, vous pouvez effectuer une petite mise (même si des joueurs confirmés se montreront méfiants dans ce cas). Néanmoins, quelle que soit votre décision, vous devez être prêt à subir une relance importante d'un ou de plusieurs adversaires. Les débutants font souvent l'erreur de relancer sans penser aux conséquences que pourrait avoir cette relance. Par exemple, imaginons une partie de No Limit avec des blinds à 10 dollars et

20 dollars. Plusieurs joueurs effectuent un limp in. Un joueur moins expérimenté qui se trouve au bouton regarde ses cartes et découvre une paire de 9. Il pense que c'est une bonne main et décide de relancer de 40 %, soit exactement le double de la big blind, ce qui serait le montant dont il aurait relancé s'il jouait en Limit Hold'Em. Mais cette relance ne fera fuir personne sauf peut-être le small blind. Par conséquent, à quoi a servi cette relance ? De mon point de vue, à rien. Notre joueur inexpérimenté a alimenté le pot mais, à moins que le flop lui soit favorable, il va se retrouver en grand danger avec sa paire de 9. En fait, le problème, avec cette relance, c'est qu'il ne pourra peut-être même pas voir le flop. En relançant, il a offert à ses adversaires l'opportunité de surrelancer. Si un joueur était entré dans le pot en sous-jouant une grosse paire, il peut sauter sur l'occasion et faire une grosse relance de la taille du pot. En Limit, vous avez un filet de protection puisque vous savez à l'avance de combien un adversaire peut vous relancer. En No Limit, vous jouez sans filet. Si un adversaire vous couvre, il peut vous envoyer son tapis quand il le désire.

En No Limit Hold'Em, lorsque vous misez ou relancez, ne perdez jamais de vue l'objectif recherché par cette relance et misez en conséquence. Si vous voulez faire fuir ou isoler un adversaire, ne mégotez pas sur la mise. Mais, attention, misez de façon intelligente. Ne misez pas beaucoup pour gagner peu. Faites attention à ne pas trahir la force de votre main avec votre mise. Une mise disproportionnée effectuée par un joueur peu expérimenté peut trahir une tentative de vol. Vous devez prendre en considération la taille des blinds, la taille du pot, votre position et la taille du tapis de vos adversaires avant de choisir le bon montant. Une fois que vous avez choisi le montant, posez-vous une dernière question avant d'engager vos jetons : êtes-vous prêt à assumer une grosse relance de vos adversaires ?

Pour conclure, je souhaite dire quelques mots sur l'importance de votre image à la table. Une image forte est déterminante pour votre succès à long terme, et cela à n'importe quelle table de poker. Bien sûr, aux tables à faibles limites, vous ne pourrez pas y faire grand-chose. Vous serez suivi plus souvent qu'à votre tour. Voilà pourquoi vous ne devez aller jusqu'à la river qu'avec des mains fortes. Même à des limites plus basses, vous pourrez quand même tirer les bénéfices d'une image forte Si vous avez une cote favorable pour aller chercher une couleur et que vous la manquiez sur la river, vous pouvez quand même attaquer et miser si vous pensez que votre adversaire a raté son tirage lui aussi. Beaucoup de joueurs faibles jetteront leurs cartes, surtout si vous avez la meilleure image de la table. Si vous êtes dans une partie à faibles limites où au moins trois joueurs vont à chaque main voir la river, vous n'aurez pas à trop vous préoccuper de votre image. Restez concentré. Jouez un poker solide en respectant les principes de base et concentrez-vous sur la lecture de vos adversaires. Ne réfléchissez pas trop mais ne jouez pas de façon inconséquente. Vous aurez des chances d'avoir un ou deux payeurs quoi que vous fassiez. N'hésitez pas à envoyer quand vous avez la meilleure main et à payer quand les cotes vous le permettent. Vos cartes vous indiqueront quoi faire la plupart du temps.

Aux limites plus importantes, contre de meilleurs adversaires, les joueurs ne sont pas enclins à gaspiller leur argent sur des tirages quinte aléatoires. Les joueurs ne suivront pas systématiquement une mise sur la river, sans quoi ils ne resteront pas longtemps à ce niveau. Vous devez connaître vos adversaires et, surtout, leurs habitudes de jeu : ce sont les deux éléments qui vous permettront de faire la différence. Lorsque vous entrez dans un pot, vous serez le plus souvent en tête à tête et parfois face à deux adversaires. Avec moins de joueurs dans le pot, il y a de grandes chances que personne ne touche son flop ni même une partie. Dans ce contexte, vos cartes sont moins importantes que votre lecture de vos adversaires et, surtout, que votre capacité à rester imprévisible pour vos adversaires. Changez de vitesse. Essayez d'entrer dans la tête de vos adversaires et d'anticiper leurs actions.

Ne vous asseyez jamais à une table de No Limit si vous n'êtes pas prêt à lutter bec et ongles. Si vous montrez de la faiblesse, vos adversaires vont se jeter sur vous. Ils vont miser et relancer à chaque occasion. En No Limit Hold'Em, il est beaucoup plus difficile de suivre une grosse mise que de faire une grosse mise. Soyez l'agresseur. Cela vous permettra d'acquérir une image forte. Soyez prêt à prendre des risques calculés. Ne sombrez pas pour autant dans l'inconscience. Ne risquez pas beaucoup pour gagner peu. Utilisez vos jetons pour isoler vos adversaires lorsque cela se révélera nécessaire. Utilisez vos jetons pour vous protéger lorsque cela se révélera nécessaire. Vous ne pouvez pas laisser vos adversaires constamment vous agresser. Parfois, vous devrez envoyer un message en relançant et parfois en surrelançant, et cela même si vous pensez être battu. Vous avez toujours la possibilité de remporter le pot si votre adversaire a une main faible. Plus important, vous envoyez un message clair à vos adversaires en leur montrant que vous ne vous laissez pas bousculer, ce qui se révélera utile par la suite. Vous ne pouvez pas jouer correctement si vous êtes constamment sous la pression de vos adversaires. Vous voulez que vos adversaires respectent votre jeu. S'ils vous relancent, vous voulez qu'ils sachent que vous êtes capable de les surrelancer.

En No Limit, même si un jeu solide et la connaissance des bases demeurent deux éléments importants, vous gagnerez plus souvent de l'argent avec des mains de deuxième ordre. Votre lecture de vos adversaires, la position et savoir quand effectuer de fortes relances vous permettront de remporter des pots que vous ne pourriez jamais remporter en Limit. C'est beaucoup plus facile de voler un pot lorsque le montant des mises n'est pas limité. Bien sûr, des adversaires expérimentés essaieront de vous faire la même chose. C'est à ce moment que commence la véritable bataille. Comment gagner ? Restez concentré. Soyez à l'affût de tout ce qui se passe et anticipez les actions de vos adversaires. Ayez toujours un temps d'avance sur ce que pensent vos adversaires.

Je vais vous montrer comment tous ces phénomènes se combinent et ce que vous pouvez faire en No Limit grâce à une main que j'ai jouée il n'y a pas très longtemps au Lucky Chances. J'avais une paire de 6 avec le 6 de cœur. À la fin de cette main, le tableau était 4co-5co-Dp-7co-10co. J'ai effectué une mise de valorisation sur la river avec une couleur et j'ai été relancé par un joueur très prudent. Je ne le classerais pas pour autant parmi les joueurs serrés. En revanche, il méritait le qualificatif de joueur solide et prudent. Lorsqu'il m'a relancé sur la river, j'étais certain qu'il avait une bonne main. Il avait l'as de cœur. Il ne me relancerait jamais avec une autre main avec les quatre cœurs présents au flop. Comment pouvais-je le savoir ? Parce qu'il n'avait rien à gagner à agir de la sorte puisqu'il savait que je ne payerais sa relance que si j'avais l'as de cœur.

Donc, en sachant qu'il avait le tirage couleur max, il aurait été facile et tentant de jeter mes cartes. Vous êtes d'accord ? J'avais le 6 de cœur. Si j'avais eu également le 3 ou le 8 de cœur j'aurais eu une quinte flush. C'est dans ces moments-là qu'il est primordial de connaître votre adversaire. Je savais que ce joueur était capable de coucher une grosse main. Je devais aussi croire qu'il savait que je savais qu'il avait la couleur max. J'ai donc misé mon tapis. Nous avions tous les deux des tapis importants à ce stade de la partie. Il s'agissait donc d'une mise importante. Le prix serait donc très élevé s'il décidait de suivre. Mon adversaire a réfléchi, réfléchi et réfléchi pendant un moment. Cela m'a paru durer des heures même si, en fait, cela n'a duré que quelques minutes. Il a fini par jeter sa main. Il savait que je savais qu'il avait l'as de cœur et il a m'a mis sur une quinte flush.

La morale de cet exemple n'est pas de vous conseiller de miser chaque fois que votre adversaire a le jeu max. En fait, je ne ferais jamais cela contre un autre adversaire. Il y a deux points importants que je souhaite souligner. *Primo*, si vous restez concentré et connaissez vos adversaires, des occasions de bluff vont se présenter et vous devrez les saisir. Un gain important par session grâce à votre connaissance de vos adversaires peut faire la différence entre un gagnant et un perdant. *Secundo*, je n'aurais jamais pu faire cela en Limit Hold'Em. Vous ne pourrez jamais bluffer un adversaire qui a une couleur à l'as avec seulement une mise supplémentaire. C'est la force du No Limit Hold'Em. Le No Limit Hold'Em est plus compliqué, plus technique et réclame beaucoup plus de finesse que le Limit Hold'Em. Mais, si vous jouez correctement, vous gagnerez plus d'argent en No Limit Hold'Em.

CHAPITRE 5

Cash game ou tournoi

Avant de nous plonger dans les stratégies spécifiques aux parties de cash game, prenons un instant pour étudier les différences fondamentales entre les tournois et les parties de cash game. Avec l'immense popularité rencontrée par le World Poker Tour, de nombreux joueurs découvrent le Texas Hold'Em à travers le jeu en tournoi. Ils regardent la dernière diffusion de la table finale le mercredi soir et veulent apprendre à jouer. Même si les bases du Texas Hold'Em sont universelles, les stratégies utilisées en tournoi sont très différentes de celles utilisées en cash game. Par conséquent, si vous regardez la table finale d'un grand tournoi, ne pensez pas que vous pourrez entrer dans votre cercle de jeu ou dans le casino à côté de chez vous et espérer gagner de l'argent en cash game en reproduisant ce que vous avez vu à la télévision.

Tim Gustin du Casino Commerce, Vince Van Patten, Shana Hiatt et Mike Sexton lèvent leur verre à la victoire d'Antonio au L.A. Poker Classic en 2004.

Principale différence entre les tournois et les parties de cash game : en tournoi, vous ne pouvez perdre que votre droit d'entrée. En cash game, vous pouvez perdre tout votre bankroll. C'est beaucoup plus facile de prendre des risques quand tout ce que vous avez à perdre se résume aux 50 dollars dont vous vous êtes acquitté à titre de droit d'entrée que lorsque vous pouvez perdre les 1 000 dollars que vous avez apportés pour le cash game. Dans les tournois, les jetons ne servent qu'à déterminer votre classement. Cela nous conduit à l'autre grosse différence. En tournoi, vous connaissez immédiatement votre résultat. Vous savez à la fin du tournoi si vous avez atteint les places payées et de combien vous avez progressé. Le succès en cash game se mesure sur le long terme. Vous ne pouvez pas mesurer vos échecs ou vos succès sur une session ou même sur plusieurs sessions. Si vous voulez des résultats immédiats, les parties de cash game ne sont définitivement pas pour vous.

Ensuite, en tournoi, tout le monde débute avec le même montant de jetons. Personne ne peut s'asseoir avec un tapis supérieur. Tous les joueurs partent à égalité. Et tous les joueurs commencent à la même heure (sauf si vous êtes Phil Hellmuth, qui est connu pour arriver en retard aux tournois). Vous ne rejoignez pas une partie en cours. Dans les parties de cash game, vous choisissez le montant de votre tapis. Dans la plupart des cas, vous rejoindrez une partie en cours.

En tournoi, vous devez constamment ajuster votre jeu aux changements de structure des blinds et à la mise en place des antes. Votre table peut être démantelée et vous pouvez être redirigé vers une autre table. La taille de votre tapis par rapport au montant des blinds et la taille moyenne de tapis vont déterminer votre stratégie. Puisque vous ne pouvez pas mettre la main à la poche pour vous recaver, vous devez faire avec les jetons que vous avez devant vous. Si vous perdez votre tapis, vous êtes éliminé. Dans une partie de cash game, vous avez toujours la possibilité de vous recaver.

Parfois, en tournoi, vous jouerez de façon plus agressive que dans une partie de cash game. Enfin, en tournoi, vous jouez pour la première place, pas pour finir à la meilleure place possible. N'importe quel joueur peut jouer extrêmement serré et progresser vers le milieu de tableau avant d'être éliminé. Si vous voulez gagner de l'argent en tournoi, visez les premières places. En tournoi, les gains les plus importants sont répartis entre les trois premières places. Vous allez donc devoir prendre beaucoup de risques pour atteindre une de ces trois places. Dans une partie de cash game, vous n'avez qu'un seul objectif : gagner de l'argent. Vous ne vous battez contre personne. Vous n'avez pas à vous préoccuper des joueurs qui gagnent plus d'argent que vous. Vous ne devez vous préoccuper que de prendre les bonnes décisions, de maximiser vos gains et de minimiser vos pertes selon ce qui se passe à la table.

La table finale d'un tournoi est très différente des autres tables, sans parler des tables de cash game. N'oubliez jamais cela lorsque vous regardez les retransmissions du World Poker Tour. Vous pouvez apprendre beaucoup de choses en terme de jeu et d'analyse. Certaines des choses que vous apprendrez seront utiles dans n'importe quelle partie de No Limit Hold'Em, comme utiliser la position ou les jetons à votre avantage. Néanmoins, l'essentiel de ce que vous verrez ne concernera que le jeu à une table finale de tournoi. Je vais vous donner quelques exemples de mains que j'ai jouées à une table finale de tournoi du World Series of Poker Tour et qui m'ont permis de remporter le tournoi et ce prestigieux bracelet d'or des WSOP.

Il restait six joueurs, j'avais le plus petit tapis et je devais faire quelque chose. Même si j'avais un petit tapis, sa taille était suffisante pour infliger des dommages aux tapis plus élevés de mes adversaires. Je voulais tenter quelque chose avant que les blinds et les antes n'amputent une partie de mon tapis. Je suis allé à tapis avec une paire de 2. J'ai été payé par un joueur ayant une paire de 8 et je me retrouvai en position d'outsider pour remporter ce pot. Pour aggraver les choses, le flop a révélé V-10-9, donnant à mon adversaire un tirage quinte par les deux bouts en plus de sa paire max. Je n'avais plus que deux outs pour remporter le pot. Un 5 a été retourné au turn mais le 2 le plus parfait que je n'aie jamais vu est apparu à la river, et j'ai doublé mon tapis. Dans une partie de cash game, aller à tapis avec une paire de 2 serait un suicide. Si nous avions des tapis profonds, payer une relance à tapis avec une paire de 8 le serait encore davantage. Pourtant, à la table finale d'un tournoi du WPT, les deux décisions étaient correctes. Je devais tenter quelque chose, et aller à tapis avec une paire de 2 était une décision tout à fait "correcte". À moins qu'un de mes adversaires ait deux cartes hautes ou une paire servie, ils n'auraient pas suivi ma relance. Même si j'étais payé, j'avais 50 % de chances contre deux cartes hautes. Je n'étais dominé que par une paire comme c'était le cas dans cette main. En fait, au cours d'un tournoi, vous devrez survivre à une relance à tapis ou avoir de la chance lorsque vous tentez quelque chose avec un petit tapis. Dans une partie de cash game, vous ne devez *jamais* compter sur la chance. Vous n'êtes jamais obligé de tenter quelque chose. Vous ne pouvez pas être éliminé dans une partie de cash game. Si vous avez un petit tapis et que vous ne vouliez pas vous recaver, ne gaspillez pas les jetons qui vous restent. Ils pourront être utilisés à bon escient une autre fois. Contrairement à ce qui se passe en tournoi, vous pouvez quitter la table avec les jetons qui vous restent. Ces jetons ont une vraie valeur. Je vois beaucoup de joueurs regarder leur tapis se réduire et, une fois qu'il ne leur reste qu'un petit tapis, pousser le reste de leurs jetons au milieu du tapis. Je ne comprends pas ce qui leur passe par la tête, mais ils ne défendent pas leur bankroll en agissant de la sorte. La réussite en cash game se mesure sur le long terme et vous ne devez pas changer de stratégie en cours de partie comme cela doit être le cas en tournoi.

Prenons un autre exemple de main que j'ai jouée dans un tournoi des World Series Of Poker. Juste après avoir doublé mon tapis avec ma paire de 2, j'ai regardé mes cartes pour voir une magnifique paire de dames rouges. J'ai relancé et Phil Hellmuth m'a relancé. Je suis allé à tapis et Phil m'a payé. J'ai retourné ma paire de dames et Phil a retourné une paire de rois noirs. Oh ! Oh ! j'étais dans la panade. Pour aggraver les choses, le flop a révélé trois petits trèfles : V-9-7. Je n'avais plus qu'un out pour remporter le pot, la dame de pique. Au turn, le croupier a retourné la dame de trèfle, me donnant un brelan mais aussi une couleur à Phil. Cela a augmenté le nombre de mes outs puisque la dame de pique me permettait toujours de remporter le pot mais en plus n'importe quelle carte donnant paire sur le tableau. Un valet, un neuf ou un sept me donnait un full. J'avais donc dix outs. La river a apporté un neuf et j'ai de nouveau doublé mon tapis. Vous connaissez la suite et vous savez donc que j'ai remporté le tournoi.

Je n'engagerais jamais tous mes jetons avec une paire de dames avant le flop, surtout contre Phil Hellmuth, dans une partie de cash game. Cela serait une décision stupide. Vous ne serez payé que par une paire d'as et de rois. En fin de tournoi, en revanche, c'est une autre histoire. Phil pouvait m'avoir relancé avec un grand nombre de mains et je ne voulais pas le laisser voir un flop avec une main comme A-V ou R-D qui pouvait me battre. Dans une partie de cash game, si je suis relancé avec une paire de dames je vais, au mieux, soit payer soit même jeter mes cartes. Tout dépendra de ma lecture de mon adversaire. D'ailleurs, même en tournoi, si j'ai une bonne profondeur de tapis, je peux coucher une paire de dames.

Quitte ou double ? Tu es sérieux ?

Par Phil Hellmuth

Lorsque j'ai appris qu'il y avait un joueur de poker magicien dans la région de Bay Area, je l'ai appelé pour lui demander s'il accepterait de donner un spectacle de magie chez moi. Donner un peu de travail à un collègue joueur de poker me semblait une bonne idée. J'aime prendre soin de mes collègues. J'ai donc demandé au dit Antonio Esfandiari de venir donner un spectacle de magie pendant la soirée que j'organisais. Pour cette fête (ou plutôt cette Dom-fest vu le grand nombre de bouteilles de Dom Pérignon qui étaient également de la fête), j'avais invité un groupe d'amis joueurs de poker, comme votre serviteur, qui étaient venus participer au tournoi organisé par le Shooting Star. Pendant son spectacle, ses tours et ses talents de magicien nous ont éblouis. Par la suite, ce sont ses talents de joueur de poker qui nous ont éblouis.

Bien sûr, Antonio a insisté pour jouer à quitte ou double en tête à tête contre moi ses gages pour la soirée. Et, bien sûr, je me suis dépêché d'accepter. Un spectacle de magie gratuit me semblait une occasion à ne pas laisser passer. Donc, environ trois mois plus tard, Antonio est arrivé avec une équipe de télévision pour filmer notre rencontre. Le magicien m'a distribué deux as et a commencé à m'écraser. Il a relancé avec une paire de 5. Je l'ai relancé et le flop a révélé K-3-3. J'ai misé et Antonio a suivi. Le turn a révélé un 5 qui a scellé mon destin. C'est comme cela qu'Antonio a doublé ses gages et qu'il m'a battu, comme tout le monde a pu le voir sur Discovery Channel. Vous ai-je dit que ce type avait du flair ?

Notre rencontre suivante a eu lieu à la table finale du tournoi du World Poker Tour organisé au Lucky Chances, dans le sud de San Francisco. Nous avions tous les deux atteint la table finale avec quatre autres joueurs. Devant les caméras de télévision, Antonio s'est mis à jouer comme un Stu Ungar dopé à la caféine. Il relançait, relançait et donnait l'impression d'aller à tapis à chaque main (on m'a dit plus tard qu'il avait relancé ou surrelancé seize des vingt premières mains jouées).

Cette tactique marche toujours, bien sûr, lorsque personne ne suit mais, souvent, vous finissez par être payé et lorsque cela arrive vous avez de grandes chances d'être l'outsider pour un pot énorme. Au poker, il y a un vieil adage : "Vous remportez tous les pots sauf le dernier." De toute façon, Antonio était revenu sur moi un nombre incalculable de fois et m'avait pris pas mal de jetons. Oui, si j'avais touché une main, il se serait brisé les dents. Mais peut-être que non. Peut-être me lisait-il suffisamment bien pour esquiver le gros piège que je lui préparais, le type de piège que je tends habituellement aux joueurs ultraagressifs.

Je ne pourrai jamais le savoir puisque je n'ai pas touché de grosse main. Mon tas de jetons se réduisant comme peau de chagrin, mes chances diminuaient d'autant. Heureusement, j'ai fini par remporter deux pots, ce qui m'a remis en piste. C'est à ce moment que j'ai commis une erreur, une erreur qu'Antonio m'a obligé à commettre. Après avoir perdu tous les pots au cours desquels nous nous étions affrontés, je suis allé à tapis en position de small blind avec R-V pour 170 000 dollars alors que les blinds étaient de 5 000 dollars-10 000 dollars. (En temps normal, j'aurais ouvert de 35 000 dollars, mais Antonio n'arrêtait pas de me relancer et je voulais remporter le pot, n'importe quel pot contre lui.) Antonio était en position de big blind et je dois le féliciter d'avoir payé avec R-D. Il m'a éliminé du tournoi. J'ai terminé quatrième, lui, troisième.

Plus tard, cette même année, je l'ai invité, avec son pote Phil "the Unabomber" Laak, à prendre la parole pendant une conférence pour Annex Learning que je donnais à San Francisco. Antonio et Laak ont accepté de participer gratuitement – les gages payés par Annex Learning sont de toute façon très modestes – à condition que je les accompagne à la discothèque Top of the Mark après la conférence.

Cela m'a semblé être une bonne idée. J'ai accepté et je suis sorti acheter une bouteille de Dom Pérignon que nous pourrions ouvrir après la conférence. Après avoir vidé cette délicieuse bouteille, nous nous sommes rendus à l'hôtel Mark Hopkins et avons pris l'ascenseur réservé aux VIP pour gagner le Top. Depuis notre table VIP au bord de la piste, nous pouvions voir que la discothèque était comble ! J'ai commandé plusieurs bouteilles de Dom Pérignon et du caviar Petrossian avec les pancakes de blé noir russes. Phil L. n'a rien bu au cours de la soirée, mais il n'arrêtait pas de ramener de très jolies filles à notre table pour partager le DP et nous tenir compagnie.

Après cette bonne soirée (au cours de laquelle j'avais trop bu), nous avons demandé la note. Je n'ai pas été trop surpris de voir qu'elle avoisinait les 2 000 dollars. Nous avons décidé de la jouer au poker menteur. Heureusement pour moi, cette fois, Antonio a perdu et nous sommes rentrés à son magnifique appartement de San Francisco, qui a une très belle vue de la ville.

Pendant cette troisième partie de la soirée, je me suis retrouvé à jouer au No Limit Hold'Em sur Ultimatebet.com dans un état de semi-ébriété sur le divan d'Antonio. Naturellement, après quelques bad beats, je me suis mis à hurler (sale gosse du poker[1] oblige). J'ai appris par la suite qu'Antonio s'était connecté à partir d'une autre pièce de son appartement et avait rejoint la partie. Avant que les vapeurs d'alcool ne se dissipent, Antonio, qui avait perdu la bataille du poker menteur, avait remporté la guerre, en me prenant 6 500 dollars. Quant à moi, j'avais gagné la bataille du poker menteur mais perdu la guerre. J'ai abandonné après avoir perdu 8 000 dollars. Une fois de plus, Antonio avait réussi à me battre !

Quelques mois plus tard, j'ai participé au tournoi du WPT au Commerce, qu'Antonio a remporté. Le lendemain, il a fini très bien classé dans le tournoi du WPT sur invitation, qui a été, ô surprise, remporté par un de ses meilleurs amis, le susmentionné Phil Laak ! Je suis sûr qu'ils ont fait une mégafête pour célébrer l'événement. Ils ont réussi à m'impressionner. J'ai quelque temps après appris que Phil Laak sortait avec la célèbre actrice (et joueuse de poker accomplie) Jennifer Tilly.

Plus tard, j'étais à la table finale lorsque Antonio a remporté son premier bracelet aux WSOP (World Series of Poker), en 2004. J'ai enfin pu, ce jour-là, lui tendre mon piège lorsque je suis allé à tapis avec ma paire de rois face à sa paire de dames. Après un flop avec V♣-9♣-7♣ (j'avais le roi de trèfle), je me sentais très bien. Même quand la dame de trèfle est sortie au turn, lui donnant un brelan mais me donnant une couleur, je savais que j'étais favori à 3 contre 1 pour remporter le pot ! Il avait besoin d'un des trois valets, des trois 9 ou des trois 7 restants ou de la quatrième dame pour gagner le pot. Sa cote était de 34 contre 10. Mais, malheureusement pour moi, la dernière carte a été un 9 et mon piège, si bien préparé, n'a pas réussi à éjecter Antonio. Je l'ai de nouveau poussé à tapis quelques minutes plus tard, avec D-5 contre son A-V. Cette fois, j'étais l'outsider à 2,5 contre 1 et j'ai de nouveau perdu.

1 Sale gosse du poker est la traduction de Poker Brat, le surnom de Phil Hellmutt Jr. Dans le monde du poker.

J'ai enfin pu prendre ma revanche lors du championnat en tête à tête organisé par NBC en 2005 lorsque je l'ai battu en demi-finale. Mais cette bataille a elle aussi été des plus âpre. Mon piège, cette fois un brelan de 4 contre sa top paire avec un flop R-4-3 (ma paire de 4 contre son R-V), a fonctionné et j'ai fini par remporter le titre. J'espère que nous nous affronterons encore souvent.

En 2004 et en 2005, nous avons fait encore quelques Dom-fest, surtout au Top of the Mark, au Light (le bar toujours très chaud du Bellagio) et au Pure (le bar incandescent du Caesar's Palace). Lors de nos dernières virées à Vegas, nous étions accompagnés par Chris "Jesus" Ferguson, Annie Duke, Phil Gordon, Marcel Luske et d'autres joueurs de poker qui avaient envie de faire la fête. Le magicien sait s'amuser. Et, avec un titre du WPT et un titre des WSOP à son palmarès, ce magicien sait également jouer au poker !

Phil Hellmuth Jr. a remporté onze bracelets des World Series of Poker. Il est l'auteur de Play Poker like the Pros.

PHIL HELLMUTH, JR.

Chapitre 6

Avant le flop

Entrer en jeu

Je me souviens comme si c'était hier de la première fois où je me suis assis à une table de poker dans un casino. Je brûlais d'impatience de recevoir les cartes que le croupier assis de l'autre côté du feutre allait me distribuer. J'étais impatient de regarder mes deux cartes couvertes, ignorant quelle surprise elles me réservaient. Cela m'électrisait. L'adrénaline affluait et j'étais, vous l'avez deviné, plutôt excité. Mais j'ai vite recouvré mes esprits.

J'ai appris, il y a longtemps, à contrôler ce flux d'adrénaline et à le transformer en énergie positive. Je m'en sers pour rester en alerte et être prêt à relever les défis qui vont se présenter. Je me calme et je joue mon jeu. Si vous jouez au poker, vous devez aimer cela. Débarrassez-vous de la tension nerveuse et mettez-la à votre service.

La victoire d'Antonio dans le L.A. Poker Classic de 2004 au Commerce Casino

Un mot à propos des blinds

En Hold'Em, il y a toujours deux mises forcées, qui sont désignées sous le terme de blinds et qui doivent être déposées avant que la moindre carte soit distribuée. Le premier joueur assis à la gauche du bouton est le small blind, qui doit miser une demi-mise. Le deuxième joueur assis à la gauche du bouton est le big blind, qui doit miser une mise complète. Le bouton tourne ensuite dans l'ordre des aiguilles d'une montre à chaque nouvelle donne, et chaque joueur doit, à son tour, s'acquitter des blinds.

Pendant le premier tour de mise de chaque main, le joueur assis juste à la gauche des blinds est le premier à parler. On le désigne sous le terme d'*under the gun*. Les blinds parleront en dernier. Si personne n'a relancé avant lui, le small blind restera souvent dans le pot puisqu'il n'a qu'à compléter sa mise. Le big blind a le choix entre checker ou relancer. Il n'a pas besoin de suivre puisqu'il a déjà déposé sa mise dans le pot.

Les tours suivants, le small blind, s'il est encore dans le pot, sera le premier à parler. Le joueur au bouton sera toujours le dernier à parler (s'il est toujours dans le coup). Comme je l'ai déjà dit, le Hold'Em est un jeu de position. Le bouton a donc l'avantage de parler en dernier et donc de savoir ce que les autres joueurs ont fait.

Si vous jouez dans une partie de Limit Hold'Em à 10-20 dollars, 10 dollars est le montant de la mise pour le premier tour de mise et le tour après le flop. Pour les autres tours de mise (après le turn et la river), le montant des mises sera de 20 dollars. En règle générale, le nombre de relances sera limité à trois par tour de mise sauf s'il ne reste que deux joueurs, auquel cas le nombre de relances sera illimité. Dans une partie à 10-20 dollars, les blinds seront de 5 et de 10 dollars, soit une demi-mise et une mise complète pour le premier tour.

Imaginons qu'il s'agit d'une partie de No Limit Hold'Em à 10-20 dollars. Les blinds seront alors de 10 et de 20 dollars. Puisque le montant des mises est illimité pour tous les tours de mise, le montant des blinds est indiqué par le nom du jeu. La mise minimale pour chaque tour dans ce genre de partie sera de 20 dollars et le montant minimal de la relance serait égal à celui de la dernière mise ou dernière relance. Par exemple, si trois joueurs vont voir le flop et que le premier joueur mise 25 dollars, ce qui est 5 dollars de plus que la mise minimale autorisée, alors, le joueur suivant, s'il souhaite relancer, doit relancer d'au moins 25 dollars. Supposons qu'il relance de 50 dollars, ce qui fait un total de

75 dollars. Le troisième devra payer 75 dollars pour suivre et, s'il veut relancer, le montant minimal sera de 50 dollars.

Nous verrons bientôt comment voler les blinds. La nature du jeu ainsi que le montant des blinds seront des éléments déterminants pour décider si voler les blinds est intéressant ou non. Si vous êtes dans une partie de No Limit à 1-2 dollars, où il y a peu d'action avant le flop mais beaucoup après, avec des mises moyennes d'au moins cinq fois la big blind, vous n'avez aucun intérêt à voler les blinds. Essayez de voir le flop pour un prix raisonnable et de remporter de gros pots lorsque vous touchez votre flop. En revanche, si vous jouez dans une partie où les blinds sont plus élevées et les joueurs, plus prudents, vous devrez vous montrer plus agressif et essayer de voler les blinds.

Beaucoup de joueurs font des erreurs en essayant trop souvent de défendre leurs blinds. Si vous jouez en Limit Hold'Em, vous ne voulez pas qu'un joueur en fin de position pense qu'il puisse voler votre blind à chaque fois. Vous avez raison. N'empêche que je vois souvent des joueurs inexpérimentés gaspiller trop de jetons pour défendre leurs blinds. Lorsque vous êtes de blind, vous ne devez jamais oublier que vous n'avez pas la position. Même si vous parlez en dernier après le flop, vous allez parler en premier tous les tours suivants. Voilà pourquoi il s'agit d'une position difficile, surtout en No Limit Hold'Em, où il ne sert à rien de défendre vos blinds. Non seulement vous allez être hors de position mais, en plus, le montant des blinds représente généralement un plus faible pourcentage d'un pot moyen comparé à ce qu'il en est au Limit Hold'Em.

À moins que je ne mette le bouton sur un vol total, je coucherais même un as faible lorsque je suis en position de blind. Êtes-vous vraiment sûr de vouloir jouer un as faible en début de position après le flop en No Limit ? Dans la majorité des cas, en No Limit Hold'Em, vous serez beaucoup plus avisé de considérer les blinds comme un coût d'exploitation.

En fait, les blinds sont le prix à payer pour entrer dans la partie. Lorsque vous rejoignez une table, vous avez deux options. Vous pouvez attendre que cela soit votre tour d'être de big blind pour entrer en jeu ou poser immédiatement le montant de la big blind hors de position pour jouer tout de suite. À moins que vous ne vous asseyiez en fin de position, il est généralement conseillé d'attendre d'être de big blind. Quoi que vous fassiez, vous allez devoir poser les blinds lorsque cela sera votre tour, alors, pourquoi se précipiter ? Si vous êtes en début de position, cela n'a aucun sens de payer pour avoir le privilège de jouer hors de position – surtout puisque vous devrez à votre tour vous acquitter des blinds très vite. Poster une blind en début de position indique au reste de la table qu'un joueur inexpérimenté vient de rejoindre la partie.

DÉBUTER

Lorsque vous rejoignez une nouvelle table, je vous conseille de jouer peu de mains. Prenez un peu de temps pour étudier et voir quelle sorte de partie vous venez de rejoindre et contre quels types de joueurs vous allez devoir lutter. Déterminez quelle sera la meilleure stratégie pour cette partie. Si vous êtes débutant ou moins expérimenté, je vous conseille d'être très sélectif avec vos mains de départ. Cela réduira vos risques pendant que vous tentez d'analyser vos adversaires et de vous habituer à la table. En outre, si vous débutez en No Limit Hold'Em, je vous conseille de commencer avec un petit tapis. Cela vous aidera à minimiser vos pertes et facilitera vos prises de décision. En No Limit Hold'Em, avec un petit tapis, il y aura plus d'action avant le flop, ce qui rend généralement le jeu après le flop plus aisé pour les débutants.

En gagnant de l'expérience, vous pourrez étendre votre choix de mains de départ. En vous améliorant, vous parviendrez à maximiser vos mains. En progressant, vous voudrez changer de vitesse pour devenir imprévisible et empêcher que vos adversaires puissent vous lire. En d'autres termes, les débutants doivent jouer la règle. Comme pour les autres jeux, vous devez d'abord apprendre les règles de base avant de prendre quelques libertés. Avec l'expérience, vous découvrirez qu'en Hold'Em vous aurez beaucoup à gagner en changeant de vitesse et en ne jouant pas la règle. Le poker est un jeu d'information imparfaite. Vous voulez donner le maximum de fausses pistes à vos adversaires.

La position est l'élément primordial pour décider si vous devez jouer une main. Plus vous parlez tard, plus vous pourrez jouer de mains. En revanche, quand vous êtes en début de position, vous aurez besoin de mains plus fortes pour entrer dans le pot. Dans une table complète, il y a en général trois positions de départ après les blinds : début, intermédiaire et fin. En règle générale, les places 1 et 2 à la gauche du bouton sont les blinds, les places 3 à 5 correspondent au début de position, les places 6 à 8, aux positions intermédiaires et les places 9 et 10 (la place 10 étant celle du bouton) sont en fin de position.

Début de position en No Limit

En début de position, je ne vais entrer dans le pot qu'avec une main forte et ne relancerai en général qu'avec de très grosses mains, comme A-A, A-R et R-R. Suivant la largeur de la table, je pourrais également relancer avec D-D et A-D de même couleur et A-V de même couleur. Si je relance en début de position, je vais généralement relancer de trois fois la big blind. Si vous relancez toujours du même montant, vous donnerez moins d'information au sujet de votre main que si vous variez les montants en fonction de vos cartes (par exemple, que si vous relancez beaucoup plus avec une paire d'as). Avec des petites paires ou des paires intermédiaires, j'opterais pour un limp in. Je ne relance jamais en début de position avec de petites paires, mais je vais payer une relance raisonnable parce que je sais que je peux remporter un gros pot si je touche mon brelan au flop.

A-D dépareillés, A-V dépareillés, R-V, J-10 de même couleur et tous les autres connecteurs assortis sont des mains avec lesquelles il faut se montrer prudent en début de position. Je vais généralement les jeter sauf si mes adversaires sont faibles, pour la bonne raison que ces mains sont très difficiles à jouer hors de position. Parmi ces mains à problème, celles que je préfère sont les gros connecteurs assortis. Si je pense pouvoir entrer dans le pot à peu de frais, je vais jouer ces mains parce que je sais que je vais pouvoir remporter de gros pots avec elles. Si le prix est trop élevé, je vais les jeter à la défausse comme les autres mains à problème.

Début de position en Limit

Il existe deux grosses différences entre le No Limit et le Limit lorsqu'il s'agit de prendre une décision en début de position. D'abord, vous n'avez pas besoin de vous demander de combien relancer. Vous ne devez choisir qu'entre relancer ou ne pas relancer puisque le montant de la relance est fixé par le montant de la big blind. Ensuite, vous pouvez plus souvent prendre le risque de jouer une main à problème parce que vous n'avez pas à vous inquiéter de subir une forte relance. En Limit, vous pouvez jouer des mains comme A-D dépareillés, A-V dépareillés ou R-D. En fait, vous pouvez même relancer avec ces mains. Ces mains ont plus de valeur en Limit parce qu'elles ne vous feront pas perdre votre tapis. Par exemple : vous misez avec A-D et vous êtes relancé. Vous savez qu'il s'agit d'un joueur plutôt agressif qui

peut vous relancer sans avoir une main de premier choix. Vous suivez et le flop affiche un as. Si vous décidez de checker et de suivre jusqu'à l'abattage, vous connaissez à l'avance le montant maximal que cela vous coûtera. En revanche, en No Limit Hold'Em, vous pouvez perdre beaucoup d'argent si votre adversaire a A-R ou deux paires.

En suivant la même logique, les connecteurs assortis n'ont pas en Limit le potentiel qu'ils peuvent avoir en No Limit parce que vous ne pouvez pas piéger vos adversaires sur un gros pot si vous floppez une main monstre.

Position intermédiaire

En position intermédiaire, tout dépend évidemment de ce qui s'est passé avant que cela soit votre tour de parler. Si personne n'a relancé, vous pouvez jouer toutes les mains que vous auriez jouées en début de position. En plus, vous pouvez étendre votre choix de mains de départ. J'effectuerais un limp in avec des mains comme A-10, R-J, D-10 ou V-10 de même couleur. S'il y a eu un limper ou deux, je suivrais avec des mains comme A-x de même couleur (x pour n'importe quelle carte en dessous du 9) ou des connecteurs assortis en dessous de V-10. Je pourrais même jouer V-9 de même couleur. S'il n'y a pas eu de limpers, je jetterais probablement ces mains puisqu'elles sont plus efficaces dans un pot comptant de nombreux joueurs. Si un ou deux joueurs ont limpé avant moi, je vais certainement jouer des mains de même couleur avec deux *gaps*, des mains comme 7-10 de même couleur ou 6-9 de même couleur. J'aime jouer beaucoup de mains si je peux voir le flop à moindres frais. J'aime jouer très souvent, mais il n'y a rien qui vous interdise de jeter des mains avec deux gaps, surtout si vous débutez. Il y a trop de joueurs après vous et vous n'avez toujours pas une bonne position.

En position intermédiaire, vous devez également connaître les joueurs qui parlent après vous. Si ce sont des joueurs agressifs, je serais plus prudent en position intermédiaire et me comporterais comme si je me trouvais en début de position. Si les joueurs après moi jouent serrés et ne savent pas utiliser l'avantage de la position, je jouerais de façon plus agressive en position intermédiaire. Imaginons par exemple que vous ayez V-10 de même couleur en position intermédiaire et qu'un joueur ait fait un limp in avant vous. Si un joueur hyperagressif doit parler après vous, vous pourrez vouloir relancer avec des mains marginales une fois que le pot grandit et juste faire un limp in. Si, au contraire, des joueurs serrés doivent parler après vous, vous pouvez avoir envie de relancer. En agissant ainsi, vous obligerez des joueurs avec des mains jouables à jeter leurs cartes, ce qui vous donnera l'avantage de la position après le flop. Si vous êtes suivi ou relancé par un de ces joueurs serrés, alors, vous savez que vous avez des ennuis avec un joueur qui a l'avantage de la position sur vous.

Fin de position

C'est là que vous aurez de l'action. Le Hold'Em est un jeu de position et la fin de position est la meilleure place. Si l'emplacement est l'élément primordial dans l'immobilier, la position est cruciale en Hold'Em. Les joueurs essaient toujours d'avoir la position pour jouer. En fin de position, le jeu est complètement ouvert. Bien sûr, vous pouvez jouer en fin de position toutes les mains jouables en début de position ou en position intermédiaire. Vous pouvez même relancer avec des mains plus marginales. Des mains comme R-V, D-10 et R-10 deviennent plus que jouables. Si personne n'a relancé, je peux même envoyer avec ces mains. Il y a deux raisons fondamentales pour jouer ces mains. D'abord, vous avez la position après le flop et une excellente chance de remporter des pots si vous touchez quelque chose. Mais, surtout, vous devrez être capable de jeter ces mains si vous pensez être battu, même si vous avez la top paire. Par exemple, imaginons que vous ayez suivi une relance en fin de position avec R-10 de même couleur. Le flop affiche R-9-4 dépareillés. Le relanceur mise, vous relancez et il vous surrelance. Votre adversaire peut avoir A-R, R-Q, R-V ou même un brelan de rois ou de 9. À moins que vous sachiez que votre adversaire est un joueur ultraagressif, n'importe quel joueur jouant ce type de main en début de position vous bat. En No Limit, vous ne voulez pas perdre de gros pots avec la top paire. En Limit, il est plus facile de suivre jusqu'à la river sachant que le maximum que vous puissiez perdre se chiffre à trois mises.

En fin de position, vous voulez avoir le contrôle. Dans cette situation, vous jouez plus vos adversaires que vos cartes. C'est particulièrement vrai en No Limit, où il est plus facile de jouer des mains faibles ou marginales. C'est pour cette raison que le choix de vos mains de départ doit être un peu étendu. Je jouerais A-x de même couleur et des cartes de même couleur avec deux gaps comme 5-8 et 4-7. En fin de position, je peux remporter des pots avec ce type de main. Par exemple, imaginons qu'il y a deux limpers en début de position et que je suive au bouton avec 4-7 de pique. Le flop affiche 9-5-4 avec un pique. Un des joueurs en début de position mise et c'est à mon tour de parler. Je sais que ce flop n'a pas aidé mon adversaire, mais je me contente de suivre. Pourquoi ? Parce que je sais que j'ai encore l'avantage de position pour les deux prochains tours de mise. En outre, en suivant je lui fais croire que j'ai quelque chose. Imaginons à présent que le turn affiche le 3 de pique. Je me retrouve, dès lors, avec un tirage couleur, un tirage quinte par le ventre, voire une paire qui pourrait suffire pour remporter le pot. Je suis dans une excellente position pour attaquer mon adversaire quelle que soit sa main. Même si le turn n'a pas amélioré ma main, je peux attaquer tant que mon adversaire n'a pas amélioré sa main. En fait, plus je suis agressif en fin de position, plus je pourrai facilement remporter ces pots. Si mes adversaires savent que je vais jouer un grand nombre de mains en fin de position, ils auront du mal à me mettre sur une main et n'auront aucun moyen de savoir si ces flops marginaux m'ont aidé.

Au risque de me répéter, le Hold'Em est un jeu de position. Ne l'oubliez jamais quand vous prenez vos décisions avant le flop. Il est très tentant pour les joueurs débutants de miser avec des mains marginales hors de position parce qu'ils sont impatients de jouer. C'est surtout le cas si vous n'avez pas eu une main décente depuis un bon moment. Si, pendant plusieurs tours, vous n'avez contemplé que des mains comme 4-9 dépareillés, D-10 vous apparaît comme une belle main. Si vous êtes en début de position dans une partie agressive, D-10 est loin d'être une belle main. Chaque fois que vous avez envie de jouer ce type de main hors de position, n'oubliez pas qu'il y a encore beaucoup de joueurs qui doivent parler après vous. Et, si vous voyez un flop, il reste encore trois tours de mise à négocier et vous n'aurez pas la position dans tous ces tours. Soyez patient et attendez d'avoir une meilleure position pour jouer.

ISOLER UN JOUEUR EN FIN DE POSITION

Lorsque vous avez une main qui est meilleure en tête à tête que dans un pot à plusieurs joueurs, vous voulez isoler un adversaire en faisant fuir les autres afin de rester en tête à tête avec ce seul adversaire. Cela augmente vos chances de gagner lorsque vous avez une main faite plutôt qu'une main à tirage.

Par exemple, imaginons que vous soyez au bouton et que tout le monde ait jeté ses cartes sauf le joueur assis à votre droite. Vous savez qu'il s'agit d'un joueur agressif et, bien sûr, il relance. Vous savez qu'il a pu relancer avec un grand nombre de mains. Vous regardez vos cartes

pour voir une paire de 9. Relancez-le. En agissant ainsi, vous allez forcer les blinds à jeter leurs mains s'ils n'ont pas une main de premier choix puisqu'ils devraient payer une relance et une surrelance. Vous êtes maintenant en tête à tête avec l'avantage de la position. Vous avez une bonne chance d'être en tête à ce moment-là parce qu'il a pu jouer n'importe quels connecteurs assortis, un as, deux figures ou une paire inférieure. En plus, vous avez l'avantage de la position. Il s'agit d'un avantage énorme, surtout qu'en relançant vous avez représenté une main forte. Par exemple, imaginons que le flop affiche A-R-4, qui, au premier abord, ne vous apporte rien de bon. Si votre adversaire checke, attaquez le coup et misez. À moins que votre adversaire ait R-R ou 4-4 ou un as, il va devoir jeter ses cartes. En ayant joué de façon agressive avant le flop, vous avez construit une position après le flop. Il est capital de vous montrer agressif lorsque vous avez la position et l'occasion.

Lorsque vous avez l'occasion d'isoler un adversaire avant le flop avec une main décente, même si elle n'est pas extraordinaire en tête à tête, allez-y. Vous empêchez des adversaires de voir le flop et avez l'avantage de position sur votre adversaire. Vous vous donnez ainsi deux chances de gagner : en touchant votre flop ou si votre adversaire doit checker un flop dangereux. Si vous avez seulement suivi, votre adversaire peut sentir de la faiblesse et miser sur un flop dangereux même si ce flop n'a pas amélioré sa main, auquel cas vous seriez obligé de jeter vos cartes. En étant agressif avant le flop, vous avez pris l'avantage dans la main. Il est temps de vous mettre en garde : en No Limit, vous devez vous montrer un peu plus prudent. Chaque fois que vous relancez, vous courez le risque d'être relancé par un adversaire. En Limit, vous connaissez le montant d'une éventuelle relance. En No Limit, non !

Continuons d'examiner le jeu avant le flop. Si vous relancez avec votre paire de 9 et que votre adversaire vous relance, vous avez une grande chance d'être dominé par une plus grosse paire. En Limit, cela vaut le coup de suivre encore une mise pour voir le flop. En revanche, si votre adversaire a surrelancé de deux ou trois fois le montant de votre relance, vous devez jeter vos cartes. Si vous vous étiez contenté de suivre, vous auriez pu voir le flop même si vous n'auriez pas pu prendre le contrôle pendant le tour de mise, et votre adversaire a de bonnes chances de miser sur un flop dangereux. Par conséquent, votre décision en No Limit dépend de votre expérience et de votre lecture de la partie et de votre adversaire.

Il s'agit d'un parfait exemple de quelques-unes des différences subtiles existant entre le Limit et le No Limit. Même s'il n'existe aucune règle universelle en poker, vous prendrez presque toujours la bonne décision en relançant en Limit. En revanche, en No Limit, vous devez prendre en compte tous les éléments et votre décision devra venir de vos tripes en fonction de ce que vous avez observé jusque-là à la table. Lorsque vous tentez d'isoler un adversaire, attention à qui et au moment auquel vous le faites. Même s'il s'agit d'une tactique très utile, vous devez veiller à ne pas isoler un joueur qui a une main qui vous domine. Si un joueur serré relance en début de position, vous ne souhaitez pas l'isoler avec une paire de 9. Vous êtes dominé soit par un adversaire avec une plus grosse paire, soit avec A-R, qui ruinera toutes vos chances de jouer un flop dangereux/effrayant.

VOLER LES BLINDS

Un joueur vole les blinds en fin de position en fin de position si tous les joueurs qui le précèdent ont jeté leurs cartes et qu'il puisse miser pour éjecter les blinds et ainsi remporter le pot. Par exemple, imaginons que vous soyez au bouton et que tout le monde ait jeté ses cartes avant vous. Vous regardez vos cartes pour découvrir 7-2 dépareillés. En fait, les cartes que vous avez n'ont pas la moindre importance. Si vous faites une grosse mise dans cette situation, les blinds devront vous suivre en étant hors de position. Ils ne suivront qu'avec une main décente. C'est pour cette raison que le vol des blinds est une technique très utilisée. Je pense qu'il me faut vous inciter à un peu de prudence.

D'abord, cette tactique étant très utilisée, presque tous les joueurs la connaissent. Vous devez savoir qui sont les joueurs aux blinds. Vont-ils défendre leurs blinds ou non ? Même un joueur faible peut en avoir marre de vous voir voler ses blinds constamment. Et, surtout, il faut prendre en compte la taille des blinds par rapport à la partie. S'il s'agit d'une partie de No Limit à 1-2 dollars avec un pot moyen de 30 dollars, alors, vous n'avez aucun intérêt à tenter de voler les blinds. Vous ne devez jamais risquer beaucoup pour gagner peu. Si la relance moyenne avant le flop est de 10 dollars dans une partie à 1-2 dollars, est-ce que cela vaut la peine de risquer 10 dollars pour en gagner 3 avec 7-2 dépareillés ? Économisez vos 10 dollars pour une meilleure occasion.

SOUS-JOUER AVANT LE FLOP

En début de position ou en position intermédiaire, je vais rarement sous-jouer une main forte comme A-A ou R-R. Ces mains sont plus efficaces en tête à tête et je ne veux pas voir trop de limpers entrer dans le pot. En outre, si je relance toujours dans cette position avec mes mains fortes, mes adversaires auront du mal à me mettre sur une paire d'as ou une paire de rois. Il n'y a que si je sais qu'un joueur qui doit parler après moi est un joueur très agressif qui aime relancer que je peux me permettre de sous-jouer une grosse paire en début de position. S'il relance, je peux alors lui revenir dessus avec une grosse relance.

En fin de position, tout dépend de votre image. Je vais relancer avec des as ou des rois en fin de position dans 99 % des cas, sans quoi mes adversaires pourraient avoir des soupçons si je limpais. Mes adversaires ont l'habitude de me voir relancer en fin de position. Si vous faites souvent des limp in en fin de position, alors, vous pourrez parfois limper avec une paire d'as ou de rois si les joueurs qui vous précèdent ont jeté leurs mains. Si vous êtes au bouton et que tout le monde ait jeté ses cartes, allez-y et faites un limp in puisque vous pourrez voir le flop en tête à tête de toute façon (ou au pire à trois). Vous aurez peut-être même la chance de voir un des deux blinds relancer. Mais ne le faites pas systématiquement. Lorsque vous êtes au bouton et que les joueurs qui vous précèdent ont jeté leurs cartes, si vous relancez votre relance sera invisible. Les blinds peuvent facilement vous mettre sur une relance due à la position. Si c'est le cas, il y a beaucoup de mains avec lesquelles vous pouvez relancer de cette position.

Quelques considérations supplémentaires

Si vous jouez en No Limit, vous devez absolument connaître vos adversaires et leurs habitudes. Lorsque vous entrez dans un pot avant le flop, vous voulez remporter le pot et, au moins, voir le flop. Vous ne voulez en aucun cas faire grossir un pot et devoir jeter vos cartes sans même avoir vu le flop. En Limit, vous connaissez le montant maximal des relances de vos adversaires, et vos chances de voir le flop sont plus importantes.

En revanche, en No Limit, vous pouvez être éjecté d'une main (ou éjecter un adversaire d'une main) avec une grosse main. C'est pour cette raison que vous devez savoir quels joueurs feront ces mises importantes avant le flop et avec quelles mains. Je ne relancerais pas avec A-R de même couleur en début de position si je sais qu'un adversaire devant parler après moi va me relancer. Cela peut me coûter très cher. Si je relance en début de position, le montant de ma relance s'élèvera à trois fois la big blind. Si je suis relancé, cela sera d'au moins six fois la big blind. J'ai donc plutôt intérêt à faire un limp in ou à suivre une relance de trois fois la big blind. Chaque fois que vous misez ou relancez, ne perdez pas de vue votre objectif. Toutes vos actions devraient être fondées en fonction du contexte d'ensemble. Vous ne devez pas naviguer à vue.

Vous devez également prendre en compte la taille du tapis de vos adversaires. Vous ne voulez pas relancer un joueur très agressif qui possède un gros tapis à moins d'avoir une très grosse main. Chaque fois que vous relancez, vous rendez le pot plus tentant et lui laissez l'opportunité de vous surrelancer fortement. Pour les joueurs plus faibles avec de petits tapis, la situation est différente : vous pouvez les bousculer plus souvent.

CHAPITRE 7

Après le flop

Si vous avez suivi les conseils énoncés au chapitre précédent, vous parviendrez à éviter pas mal des problèmes qui peuvent survenir après le flop. En clair, vous n'allez pas vous retrouver hors de position avec une main marginale. Si vous êtes en début de position, vous devez avoir une bonne main et c'est la nature du flop qui va, en grande partie, déterminer ce que vous allez faire. Si vous êtes en fin de position, l'éventail des mains que vous pouvez détenir est très large et c'est la nature du flop et les actions de vos adversaires qui vont déterminer votre façon de jouer. Examinons d'abord les principes généraux du jeu après le flop avant de nous pencher sur des exemples précis.

Antonio et quelques amis autour d'une table un vendredi soir.

ÊTRE AGRESSIF

Ça y est ! Le flop vient d'être retourné. Vous ne pouvez plus vous permettre le luxe d'être timide. Vous devez faire preuve d'agressivité et d'un brin de jugeote. Si j'avais l'initiative avant le flop, je vais essayer de la conserver après le flop. Par exemple, imaginons que j'ai relancé en début de position avec A♦-R♦ et que j'ai été suivi par un adversaire. Le flop affiche 10♣-6♥-4♥. Même si ce flop n'a pas amélioré ma main, il y a de bonnes chances qu'il n'ait pas amélioré la main de mon adversaire non plus. Mais comment puis-je savoir si le flop a effectivement amélioré la main de mon adversaire ? En réalité, je n'ai aucun moyen de le savoir. En tout cas pour l'instant. Mais examinons mes options et choisissons celle qui me permettra de récolter des informations et de maximiser mes gains.

J'ai deux options. Je peux soit miser soit checker. Examinons la première option. Si je mise, mon adversaire a trois options. Il peut jeter ses cartes, suivre ou relancer. Puisque j'ai relancé avant le flop en début de position, mon adversaire doit me mettre sur une main forte. Comme nous l'avons vu au chapitre précédent, je relance systématiquement avec une main forte en début de position. Mon adversaire n'a donc aucun moyen de savoir quelles cartes j'ai en main. S'il n'a pas une paire servie et qu'il ait raté son flop, il sait que j'ai la meilleure main à ce moment et il y a de grandes chances que ma mise le fasse fuir. Cela me convient tout à fait. Je serai ravi de remporter le pot avec mon as plutôt qu'offrir à mon adversaire une chance de compléter son tirage. En outre, j'ai appris quelque chose d'important sur mon adversaire. Il a abandonné sa main après avoir manqué le flop.

À présent, imaginons que mon adversaire ait suivi avant le flop avec une paire de 9. Si je mise après le flop, il n'a toujours aucun moyen de savoir quelles cartes j'ai en main. Je peux le battre avec n'importe quelle paire supérieure au neuf. Mais il sait également que je peux avoir une main comme A-R, A-D ou A-V, auquel cas il aurait, à cet instant précis, la meilleure main. Par conséquent, avec 9-9 il va soit suivre soit relancer. En relançant, il espère déterminer si j'ai réellement une main ou si j'ai tenté de bluffer le coup. (À sa place, je pencherais pour la relance. Si j'ai la meilleure main, je veux la protéger, si je suis battu, je veux le savoir le plus vite possible).

Examinons à présent ce qu'il ferait s'il avait A-10 ou A♥-V♥. Avec la première main, il a top paire-top kicker. Avec la seconde main, il a le tirage couleur max. Dans les deux cas, il doit choisir de relancer. En relançant, il m'oblige à me mettre sur la défensive et il obtient une réponse à ses questions. Avec le tirage couleur sur le tableau, un bon joueur sait qu'avec une paire haute je vais le surrelancer pour protéger ma main. Si je n'ai pas de paire haute, il y a de grandes chances que je jette mes cartes. Maintenant, avec le tirage couleur il peut choisir de suivre et de voir une autre carte plutôt que risquer de s'exposer à une grosse surrelance, surtout en No Limit. Avec le tirage couleur max, laissez-vous une chance de voir une autre carte plutôt que prendre le risque de vous exposer à une grosse surrelance qui vous obligerait à jeter vos cartes.

Maintenant, voyons ce que j'ai appris en misant. D'abord, si mon adversaire se couche, cela signifie qu'il est prêt à jeter ses cartes face à une mise sur un flop inoffensif. S'il suit, je suis probablement battu à moins qu'il soit sur un tirage couleur. Mais j'ai encore une chance de gagner la main et, surtout, j'ai récolté une information précieuse. Si je touche au turn une carte supérieure au 10 qui ne lui donne pas sa couleur, je peux miser à nouveau et il peut être obligé de jeter ses cartes même avec la meilleure main, comme une paire de neuf. Enfin, s'il relance, en No Limit, je dois jeter mes cartes. Le ratio risque-gain n'est pas assez élevé pour rester dans le pot. S'il a un brelan ou une main comme A-10, je suis en grand danger si je touche la top paire sur la river puisque je tire mort depuis le turn. En Limit, l'analyse est quelque peu différente. S'il a une paire servie, je bénéficie d'une bonne cote pour suivre une mise supplémentaire. Et, surtout, j'ai à présent une bonne idée du jeu de mon adversaire et je peux agir en conséquence au turn.

À présent, imaginons un autre scénario qui montre pourquoi il est important d'avoir l'initiative après ce flop. Si mon adversaire a une main comme Q♠-V♠, j'ai la meilleure main à cet instant précis. Pourtant, si je checke, je lui ouvre la porte et il peut essayer de voler le pot. N'oubliez pas qu'il est très difficile de jouer hors de position. Alors, au lieu de lui donner l'opportunité de voler le pot, je vais continuer à miser. Si je checke et qu'il mise, je n'aurai pas d'autre choix que jeter mes cartes (en d'autres termes perdre le pot) ou relancer (ce qui signifie que je me trouverai obligé d'engager plus de jetons dans le pot que si j'avais misé). Suivre n'est pas vraiment envisageable. Cela m'obligerait à engager des jetons sans avoir pu récolter aucune information. L'inconvénient, bien sûr, est que, si j'ai relancé avant le flop et que je me retrouve en tête à tête, je vais miser après le flop presque chaque fois.

Examinons maintenant ce qui peut se produire si je checke sur le flop. En checkant, j'affiche de la faiblesse. Pourquoi ? Parce que s'il a fait attention il sait que je suis un joueur agressif et que je ne sous-jouerais pas une paire haute avec la possibilité d'un tirage couleur sur le tableau. Seul un brelan pourrait l'effrayer. Mais, là encore, je ne le sous-jouerais pas. Je mise presque toujours quand j'ai une main forte. Par conséquent, en checkant, je lui dis que j'ai manqué le flop et je lui permets de prendre l'initiative. S'il le fait, comme il le devrait, je me retrouve sur la défensive. D'accord, j'ai deux cartes supérieures et la cote pour suivre, mais je n'ai pas la moindre idée de ce qu'il peut avoir. En outre, s'il est sur un tirage couleur avec A♥-V♥, je viens de lui offrir une carte gratuite. Maintenant, que se passe-t-il si le R♥ apparaît au flop ? J'ai de grandes chances de miser avec ma top paire alors que mon adversaire a la couleur max, et tout cela parce que je ne sais pas ce qu'il a en main.

Par conséquent, en misant sur le flop, j'ai atteint deux objectifs. Tout d'abord, je me suis offert une chance de remporter le pot. Ensuite, même si mon adversaire suit ou relance, j'ai appris quelque chose qui peut me permettre de remporter le pot sur le prochain tour de mise ou d'économiser de l'argent. En checkant, je donne à mon adversaire une chance de prendre l'initiative. Qu'il la prenne ou non, je ne pourrai recueillir aucune information. Le poker est un jeu fondé sur l'information imparfaite. Vous recueillerez toujours plus d'informations sur votre adversaire en misant qu'en checkant. Cela ne signifie pas que vous deviez toujours miser. Soyez agressif, mais faites preuve de mesure.

Par exemple, imaginons que j'ai relancé avant le flop en début de position avec toujours A♦-R♦ mais que cette fois trois adversaires ont suivi. Le flop affiche 7♣-8♣-9♥. C'est un flop désastreux pour moi. Je n'ai que deux cartes supérieures et il y a de grandes chances qu'un de mes adversaires ait un jeu fait ou au pire un très bon tirage. Je n'ai pas intérêt à miser. Je vais checker et jeter mes cartes si un de mes adversaires mise. Au poker, la position est toujours l'élément crucial. Restez concentré et n'oubliez pas que chaque main est unique. Chaque main suit son propre scénario. La façon dont je vais jouer A-R après le flop en début de position dépendra non seulement du flop mais aussi du nombre d'adversaires encore en lice, des mains qu'ils peuvent avoir, de ma lecture de mes adversaires et de mon image à la table.

La taille du tapis

La taille de votre tapis par rapport aux tapis de vos adversaires est un facteur essentiel dans toute prise de décision en No Limit. Vous ne devez pas vous montrer trop agressif et mettre en danger votre tapis. Par exemple, imaginons que vous ouvriez avec A-R en fin de position avant le flop. Un joueur serré en position intermédiaire avec un tapis énorme relance. Dans cette situation, vous devez vous contenter de suivre. En suivant, vous pouvez voir le flop, et il sera alors toujours temps de reconsidérer la situation. En agissant ainsi, vous dissimulez la force de votre main. Imaginons que vous avez suivi 80 dollars avant le flop et que vous voyez le flop en tête à tête. Vous avez chacun un tapis de 4 000 dollars dans une partie de No Limit à 10-20 dollars. Le flop affiche A-7-2. Cela semble un bon flop. Votre adversaire mise 200 dollars. Il est très tentant de relancer. Pourtant, je me contenterais de suivre dans cette situation.

Si vous relancez, il y a beaucoup de mains avec lesquelles votre adversaire peut vous suivre. Selon toute probabilité, vous ne serez suivi que par un adversaire qui a une meilleure main. Votre seule chance serait que votre adversaire ait A-D ou A-V. Si vous avez la meilleure main, vous avez intérêt à laisser l'initiative à votre adversaire. Même s'il n'a rien, il peut tenter un bluff sur le turn. Lorsque vous êtes en tête à tête, relancer n'est pas toujours la meilleure stratégie. En revanche, dans un pot à plusieurs joueurs, vous devez relancer pour faire fuir les mains à tirage et même les petites paires. S'il y a trop de joueurs dans le pot, le degré d'incertitude augmente.

Vous devez également éviter de vous montrer trop agressif avec la top paire. Vous ne voulez pas tout perdre avec la top paire après le flop. Seule exception : lorsqu'il y a déjà beaucoup d'argent dans le pot avant le flop. Je vous conseille là au contraire de faire preuve d'agressivité sur le flop afin de remporter le pot tout de suite. Mais, même dans ce cas, vous devrez vous montrer très prudent face à un adversaire qui dispose d'un gros tapis.

Dernièrement, au cours d'une partie à laquelle je participais, j'ai assisté à la main suivante. Les blinds étaient de 10 et 20 dollars. En début de position, un joueur a ouvert de trois fois la big blind. Deux adversaires ont suivi. Le flop a affiché D-9-6 dépareillés. Le premier relanceur a misé son tapis. Le joueur suivant a immédiatement suivi. C'était au tour de mon pote, Noah Boeken, de parler. Il était au bouton avec une paire de 6. Il avait floppé un brelan et il se demandait s'il devait suivre. Je pense que c'était surtout le joueur qui avait immédiatement suivi la relance à tapis qui l'inquiétait. Je dois préciser que les deux adversaires n'étaient pas de très bons joueurs. Après quelques secondes, Noah a décidé de suivre. Le premier relanceur a retourné A-D avec la top paire, le deuxième joueur a retourné V-10 pour un tirage quinte par les deux bouts. Noah avait pris la bonne décision en suivant puisqu'il était largement favori. La main de Noah a tenu et il a ramassé un gros pot.

Le premier relanceur a fait une énorme erreur en engageant tous ses jetons alors qu'il était hors de position avec seulement la top paire. Il a engagé tous ses jetons alors qu'il avait, face à lui, deux joueurs avec des tapis plus importants. Si son objectif était de faire fuir les mains à tirage, je pense qu'il aurait pu y parvenir sans risquer autant de jetons. D'ailleurs, le joueur 2 aurait sûrement suivi avec son tirage quinte par les deux bouts puisqu'il a suivi la relance à tapis sans la moindre hésitation. La décision de ce dernier était en revanche effroyable. Lorsqu'il a suivi, il était outsider à 3 contre 1 alors que la cote du pot n'était que de 2 contre 1. C'était une très mauvaise décision.

Lorsque vous misez ou relancez, ne perdez jamais de vue l'objectif que vous poursuivez. Si vous voulez faire fuir vos adversaires, choisissez alors le montant qui vous permettra d'atteindre votre but sans vous mettre en danger. Si une mise de 400 dollars a le même effet qu'une mise de 1000 dollars, pourquoi risquer 600 dollars de plus ? Ne risquez jamais plus que nécessaire. Si vous voulez être suivi, misez le montant que votre adversaire est prêt à payer.

LA POSITION

La position était importante avant le flop parce qu'une fois le flop retourné vous allez bénéficier de l'avantage de la position (vous le conserverez au turn et à la river). C'est pour cette raison que vous ne devez jouer que les mains fortes avant le flop quand vous êtes hors de position parce qu'après le flop vous serez hors de position. Il y aura beaucoup de flops que j'appelle des flops orphelins. Ce sont des flops qui n'ont amélioré le jeu de personne. Avec l'avantage de la position, vous aurez l'avantage de connaître les décisions de vos adversaires. Si personne n'a essayé d'attaquer le pot, ne vous gênez pas pour le faire. Même si un ou plusieurs autres joueurs ont attaqué, vous pouvez toujours tenter de les éliminer. Qu'est-ce que je veux dire par là ? Imaginons qu'un joueur relance en début de position et que vous suiviez au bouton avec V-10 de même couleur. Le flop affiche 8-7-2 dépareillés. Vous avez un tirage quinte par le ventre, un tirage couleur backdoor et deux cartes supérieures. Attention ! À cet instant, vous n'avez qu'un valet. Vous savez que vous n'avez probablement pas la meilleure main mais vous ne pensez pas que ce flop ait amélioré la main de votre adversaire.

Votre adversaire mise après le flop comme le fait la majorité des joueurs qui ont relancé avant le flop. Vous avez trois options. Vous pouvez jeter vos cartes, suivre ou relancer. Personnellement, je ne jetterais pas mes cartes dans cette situation puisque je bénéficie d'un avantage énorme, celui de la position. Je vais soit tenter un semi-bluff, soit me contenter de suivre. En fait, la décision dépendra de mon adversaire. Avec un nombre important d'outs, un semi-bluff est une bonne tactique. Cela peut me permettre de remporter le pot tout de suite. Si votre adversaire suit ou relance, il a peut-être une paire supérieure et vous savez alors que vous allez devoir mettre la pédale douce. Vous pouvez aussi vous contenter de suivre. Cela vous permet d'avoir une nouvelle carte et d'envoyer un message à votre adversaire. Même si le turn n'améliore pas votre main, vous pouvez remporter le pot en attaquant sur le turn si ce dernier, bien sûr, n'a pas amélioré la main de votre adversaire.

Avec V-10, il y a tellement de cartes qui peuvent vous aider. Non seulement les cartes qui peuvent améliorer votre main mais, en plus, les cartes qui peuvent effrayer vos adversaires. Imaginons que votre adversaire a A-8, ce qui est une très bonne main pour ce flop. Il mise sur le flop et vous suivez. Un 7, un 9, un 10, un valet, une dame, un roi sont de bonnes cartes pour vous. Votre adversaire va certainement checker sur le turn si une de ces cartes apparaît et vous pourrez miser (même avec une carte comme le roi, qui n'améliore pas votre main). Votre adversaire doit à ce moment jeter ses cartes. Même s'il s'obstine et suit, vous pouvez toujours remporter le pot sur la river. Vous êtes en excellente posture même si votre adversaire touche son flop avec A-8. Imaginons à présent que vous suivez au flop et que votre adversaire n'a rien (imaginons qu'il a ouvert avec A-D). Il y a peu de chances qu'il tente d'attaquer de nouveau le pot si le turn n'a pas amélioré sa main. Stu Ungar a dit un jour que "la plupart des joueurs tireront une cartouche, mais peu seront capables d'en tirer deux, voire trois".

Cet exemple montre à quel point la position est importante en Hold'Em. L'avantage de position vous permet de suivre des mises au flop et de remporter le pot sur le turn si votre adversaire n'a rien.

BLUFFER AVEC UN CHECK-RAISE

Vous pouvez utiliser l'avantage de position de plusieurs manières. Bluffer en utilisant un check-raise est une arme redoutable que peuvent utiliser les joueurs en début de position. C'est un excellent moyen de contrer un joueur agressif qui sait utiliser l'avantage de position. Lorsque vous savez que votre adversaire va utiliser l'avantage de position pour attaquer le coup, laissez-le faire. Vous pouvez alors le bluffer en utilisant le check-raise. Pour maximiser les chances de succès de votre check-raise, il faut que votre tentative soit crédible. Voilà quelques situations où vous pourrez essayer cette tactique.

Imaginons que vous avez pu voir le flop à bon marché en position de big blind. Le flop avec 9-4-2 a toutes les caractéristiques du flop orphelin. Ce flop n'a sûrement amélioré la main d'aucun joueur. En fait, les autres joueurs seront même enclins à penser que ce flop a amélioré votre main puisque, en position de big blind, l'éventail de mains que vous pourriez avoir est relativement large. Si vous misez, ils peuvent penser que vous essayez de voler le pot en adoptant ce flop orphelin. En revanche, si vous optez pour le check-raise, vos adversaires ont plus de chances de vous mettre sur une main forte. Même s'ils sont persuadés que vous bluffez, ils hésiteront à suivre à moins d'avoir une main.

Vous pouvez également recourir au check-raise lorsque vous relancez en début de position avec une main comme R-D de même couleur. Un seul adversaire suit. Le flop affiche A-8-3. Même si ce flop n'a pas amélioré votre main, vous êtes dans une position idéale pour représenter un as fort. Si votre adversaire aime utiliser l'avantage de position, répondez-lui par un check-raise. La plupart des joueurs font un check-raise lorsqu'ils ont un monstre en main. Profitez-en et optez pour le check-raise avec une poubelle. Allez-y ! Essayez et vous verrez à quel point cela fonctionne.

Examinons à présent quelques situations précises.

LES PAIRES SUPÉRIEURES

Là encore, montrez-vous agressif mais faites preuve de mesure. Avec une paire supérieure après le flop, je vais plutôt miser ou relancer. Si je suis en début de position avec 10-10, V-V, D-D, R-R ou A-A, n'oubliez pas que j'aurais relancé avant le flop pour réduire le nombre de mes adversaires. Si un ou deux joueurs ont suivi et que le flop affiche 9-7-2 dépareillés, je vais miser. Il n'y a rien à gagner à sous-jouer. Imaginons que j'ai D-D et deux adversaires. Je suis en danger face à n'importe quel as ou roi ou même une main comme V-10, qui a un tirage quinte par le ventre. Pourquoi offrir à mes adversaires une chance de toucher leur tirage ? S'ils veulent chercher leur tirage, ils devront payer le prix. Bien sûr, si j'ai A-A, je peux choisir de sous-jouer. Les mains qui peuvent me battre sont beaucoup moins nombreuses, ce qui me permettra de piéger un adversaire. En No Limit Hold'Em, je pourrai prendre à mon adversaire pas mal de jetons s'il a une main comme A-R et qu'un roi vient au turn.

Examinons à présent un autre exemple. Un joueur serré relance en début de position avant le flop. Je suis en fin de position avec ma paire de valets. Le flop affiche 10-8-3 dépareillés. Mon adversaire mise. Que dois-je faire ? Je sais que mon adversaire a une excellente main mais je ne sais pas laquelle. Il peut avoir une paire supérieure à la mienne, auquel cas je suis battu et je dois jeter mes cartes. Il peut également avoir A-R ou A-D. Souvenez-vous que l'agressivité est toujours récompensée. Un bon adversaire le sait tout aussi bien que moi. Il pourrait aussi avoir une main comme A-10, ce qui serait une excellente nouvelle pour moi. Donc, que dois-je faire ? Je ne vais pas me coucher avec une paire supérieure, je dois donc choisir entre suivre ou relancer. Souvenez-vous que je vous ai dit que l'on récolte plus d'information en misant qu'en checkant. Cette règle s'applique également ici. En suivant, je ne pourrais recueillir aucune information sur la main de mon adversaire. En revanche, si je relance, je prends le contrôle de la main et je mets mon adversaire sur la défensive. Si mon adversaire a A-D, il va certainement jeter ses cartes, ce qui l'empêchera de toucher sa main. S'il a A-10, il va probablement suivre, ce qui fera grossir le pot, et je sais presque avec certitude que j'ai à cet instant la meilleure main. S'il a A-A ou R-R, il peut suivre ou relancer. S'il relance, je sais alors que je suis en danger. Néanmoins, en relançant dans cette position au lieu de me contenter de suivre je prends le contrôle de la main et je m'offre une chance de remporter le pot ou de glaner des informations.

La top paire

Je joue toujours de façon agressive lorsque je touche la top paire. J'agis ainsi pour plusieurs raisons. D'abord, je ne veux pas que mes adversaires touchent leur tirage. Si l'un d'eux veut aller chercher un tirage, il devra payer le prix. Je veux réduire le nombre de mes adversaires pour que ma main tienne. Ensuite, je veux alimenter le pot. Puisque j'ai de bonnes chances d'avoir la meilleure main à cet instant, je veux faire grossir le pot. J'évite de faire preuve de trop de finesse dans cette situation. Si je fais constamment preuve d'agressivité, je ne donne aucune information sur la force de ma main à mon adversaire. Enfin, je veux glaner des informations. Si ma main est battue, je veux le savoir. Souvenez-vous que vous apprendrez plus de choses en misant qu'en checkant.

LA PAIRE INTERMÉDIAIRE

En No Limit Hold'Em, les paires intermédiaires réclament un peu de finesse. Pour les jouer, vous devrez avoir une très bonne lecture de vos adversaires et de leur style de jeu. Si vous pensez avoir la meilleure main, envoyez et faites une mise d'un montant respectable pour remporter le pot tout de suite et empêcher vos adversaires de toucher leur main. Si un joueur mise ou vous relance, vous devrez déterminer ce que votre adversaire a en main et ce qu'il est susceptible d'avoir. En Limit, vous pouvez toujours suivre un adversaire jusqu'à la river quand vous n'arrivez pas à mettre votre adversaire sur une main puisque vous savez à l'avance combien de mises cela va vous coûter. En No Limit, vous ne voulez pas être englué dans un pot lorsque vous êtes battu. Vous ignorez combien cette main va vous coûter au turn et à la river si vous allez jusqu'à l'abattage. Mais vous ne voulez pas non plus vous laisser marcher dessus par les autres joueurs. Vos décisions dépendront de votre image à la table, de vos adversaires et des cartes qu'ils sont susceptibles d'avoir. Avec l'expérience, vous pourrez plus facilement prendre les bonnes décisions et avoir davantage confiance en votre jugement. Restez concentré sur la table et vos décisions seront plus faciles à prendre. Lorsque je vous demande de rester concentré, je ne parle pas d'observer vos adversaires. Entretenez votre image à la table et faites attention à la façon dont vos adversaires vous perçoivent. N'oubliez pas qu'ils ont eux aussi des décisions difficiles à prendre. En restant imprévisible et agressif, vous les obligez à être sur la défensive et vous rendez leurs décisions plus difficiles à prendre.

FLOPPER UN BRELAN

Flopper un brelan est très agréable. Attendre le flop avec une paire en main et voir apparaître une troisième carte de même rang est un sentiment euphorisant. C'est même enivrant. En fait, c'est tellement enivrant que certains joueurs ont tendance à tomber amoureux de leur main. Ils veulent savourer l'instant et sous-jouent. C'est une mauvaise décision. Je mise toujours avec un brelan. Si vous avez toujours joué de façon agressive en ne faisant pas d'erreur au flop, vous donnerez moins d'informations à vos adversaires en misant ou en relançant. Si vous sous-jouez ou optez pour le check-raise, vous allez donner des informations sur votre main et vos adversaires ne vous suivront pas. En outre, selon la nature du flop vous ne voulez pas donner à vos adversaires une carte gratuite qui leur permettrait de toucher leur tirage. Si le tableau présente une possibilité de tirage couleur ou de tirage quinte, faites payer vos adversaires qui voudraient chercher leur tirage.

FLOPPER UNE MAIN MONSTRE

Cela n'arrive pas souvent mais, parfois, vous flopperez un full, la couleur max ou la quinte max. Votre réaction instinctive sera de checker. Vous voudrez sous-jouer afin de dissimuler la force de votre main et de permettre à vos adversaires d'améliorer leur main. Si votre adversaire est un joueur large agressif, ce n'est pas une mauvaise stratégie. Laissez-leur le contrôle des opérations. Néanmoins, les joueurs plus expérimentés se douteront de quelque chose si vous sous-jouez. Là encore, si vous avez joué de façon agressive jusque-là, vous ne trahirez pas la force de votre main en misant avec une main monstre.

Personnellement, je n'aime pas sous-jouer au flop même si je touche une main monstre. Je ne suis pas un grand fan de cette option. Bien sûr, comme je joue de façon agressive en permanence, mes adversaires ont moins de chances de me mettre sur une main monstre. J'ai une autre raison pour ne pas sous-jouer sur le flop. Vous courez le risque de supprimer toute velléité d'action et donc de réduire vos gains. Je vais vous donner un exemple. Imaginons que vous avez 9-10 de trèfle, que votre adversaire a 6-6 et que le tableau est 6-7-8 avec deux cœurs. Vous tentez de sous-jouer votre quinte max en checkant. Votre adversaire checke à son tour, espérant vous attirer dans un piège avec son brelan. À cet instant, quelque chose de terrible peut se produire. Le turn peut révéler une carte effrayante. Un 4, un 5, un 9, un 10 ou n'importe quel cœur paralysera le coup sur le turn. Vous ne voulez pas courir ce risque. Vous devez miser lorsque vous touchez le jeu max et il vous faut espérer que votre adversaire a lui aussi touché quelque chose.

La connaissance de votre adversaire sera l'élément décisif qui vous permettra de maximiser vos profits. Si votre adversaire est du type large passif et qu'il vous suive avec n'importe quoi, misez le montant maximal qu'il sera disposé à suivre. Voilà pourquoi en No Limit la lecture du style de jeu de votre adversaire est primordiale. Les mains monstres ne se présentent pas si souvent. Votre capacité à maximiser vos gains dans ces situations sera déterminante pour faire fructifier votre bankroll. En Limit, le montant des mises est bien sûr fixé par les structures du jeu. En No Limit, il n'y a aucune limite. La question devient : de combien devez-vous miser afin de maximiser vos gains ? Si vous avez bien étudié votre adversaire, vous devez savoir quoi faire. En d'autres termes, vous devez savoir si vous devez sous-jouer ou jouer de façon agressive et quel est le montant de la mise que votre adversaire est prêt à parier.

LES MAINS À TIRAGE

Il y a deux façons de jouer les mains à tirage : la première est de tirer gratuitement ou au moins d'avoir la cote pour le faire ; ou vous pouvez tenter un semi-bluff. Examinons la première solution.

Pour calculer si vous bénéficiez de la cote correcte pour chasser un tirage, vous devez connaître le montant que cela va vous coûter et les probabilités de toucher votre main. Il y a encore un ou deux autres facteurs à prendre en compte. Si vous payez pour votre tirage, vous devez être certain que si vous le touchez vous allez remporter le pot. Par exemple, imaginons que vous avez 7♠-8♠ et que le tableau est 2♣-9♦-10♦. Vous avez un tirage quinte par le ventre. Malheureusement, vous pouvez toucher votre quinte et être battu. Il y a deux carreaux sur le tableau, par conséquent, si le turn révèle le 6 de carreau, vous donnant votre quinte, il donne à votre adversaire une couleur. Maintenant, imaginons que ce soit le valet de pique qui apparaisse au turn. Là encore, vous touchez votre quinte mais votre adversaire peut avoir R-D et vous battre avec une meilleure quinte. En fait, ce n'est pas une bonne main pour vous, même si vous avez une cote correcte. Vous ne devez jouer cette main que si vous pouvez chasser votre tirage pour rien ou à très bon marché.

Lorsque vous pouvez tirer gratuitement, la question devient : devez-vous tenter un semi-bluff ? Analysons un autre exemple. Un joueur serré passif ouvre en début de position et vous suivez au bouton avec D♦-V♦. Le flop affiche 2♦-5♣-8♦. Votre adversaire checke. Vous êtes plutôt confiant parce que vous pensez qu'il a A-R. À cet instant, il a la meilleure main mais vous avez un tirage couleur. Vous pouvez prendre la carte gratuite et espérer toucher votre couleur au turn. Malheureusement, à moins qu'un as ou un roi apparaisse au turn, vous ne prendrez pas d'argent à un joueur serré passif. Par conséquent, dans cet exemple, vous devrez plutôt miser et remporter le pot tout de suite. Si vous êtes payé, vous avez toujours deux cartes supérieures et un tirage couleur et bénéficiez donc d'une bonne chance de gagner. En outre, vous pouvez toujours remporter le pot sur un prochain tour de mise si votre adversaire a A-R et qu'il n'améliore pas sa main.

Là encore, votre connaissance de votre adversaire sera l'élément décisif. Vous ne devez jamais tenter un semi-bluff contre un adversaire adepte du check-raise. En effet, avec une main à tirage, vous ne voulez surtout pas manquer une occasion de voir une carte gratuitement. Or, en No Limit, n'oubliez jamais qu'une mise peut vous exposer à une grosse relance. Si la relance est suffisamment importante, vous n'aurez peut-être pas la possibilité de voir une autre carte alors que vous avez engagé beaucoup de jetons dans le pot.

Antonio a su garder les pieds sur terre

par Annie Duke

J'ai rencontré Antonio pour la première fois lors du tout premier spot publicitaire pour le World Poker Tour. Phil Hellmuth, Chris Ferguson, Paul Darden et moi-même faisions partie du casting, et Antonio avait été choisi pour jouer le rôle du croupier. Je ne savais pas qui était ce beau jeune homme, mais je l'ai tout de suite trouvé très sympathique. Antonio avait l'air d'être quelqu'un de drôle avec un humour de comique de *stand up*. J'ai très vite commencé à bavarder avec lui. Nous sommes devenus amis pendant le tournage, et nous nous voyons très souvent depuis.

Nous sommes donc restés en contact après ce tournage et nous avons commencé à traîner ensemble lors des tournois. Nous sortions avec d'autres joueurs et j'ai donc participé à ses fameuses virées en boîte de nuit. Il n'y a personne sur cette planète qui sache autant s'amuser qu'Antonio. Mais, plus que les bons moments, j'ai aimé sa générosité d'esprit, sa disponibilité et son affection pour ses amis. Je ne l'en ai apprécié que plus après cela.

En un mot, là où tant d'autres jeunes gens ont l'habitude de perdre la tête lorsqu'ils rencontrent un succès aussi phénoménal que celui rencontré par Antonio, surtout à un si jeune âge, lui a su garder les pieds sur terre. Il est toujours heureux de ce qui lui arrive, toujours heureux d'aider les gens autour de lui. Il traite tout le monde avec le même respect et fait toujours preuve d'autant d'humour. Et, peut-être le plus important, il est certainement la personne que je connaisse qui prend le mieux soin de sa famille.

C'est pourquoi, quand les directeurs d'Ultimatebet.com m'ont demandé de proposer un nouveau membre pour l'équipe de UB, j'ai tout fait pour qu'Antonio soit choisi. Je savais qu'il donnerait une bonne image de la compagnie et travaillerait dur pour sa réussite. Depuis, Antonio et moi sommes devenus plus que des amis, nous sommes devenus collègues de travail.

J'ai vu Antonio devenir un excellent joueur de poker au cours des dernières années et je suis certaine que ses succès dans le poker et dans la vie se poursuivront. J'espère que les lecteurs de ce livre apprendront à l'aimer et à le respecter autant que moi en lisant ce livre. Je sais qu'ils apprendront énormément.

Annie Duke est souvent désignée comme la meilleure joueuse du monde, mais la plupart des joueurs seront d'accord pour affirmer qu'elle est un des meilleurs joueurs, point.

Chapitre 8

Le turn

C'est au turn que l'on fait la différence entre les hommes et les gamins, entre les femmes et les filles et entre les joueurs et les imposteurs. Comme j'ai déjà eu l'occasion de le dire, un joueur inexpérimenté peut tirer une cartouche, le véritable joueur en tirera au moins deux. Comment interpréter cette phrase ? Imaginons par exemple que vous relancez en début de position avec A-D de même couleur préflop. Deux joueurs suivent. Le flop affiche 10-7-2 dépareillés. Cela a tout l'air d'un flop qui n'a aidé personne. Vous choisissez donc de miser. Votre mise fait fuir un joueur mais l'autre suit. Le turn affiche un roi. Que faites-vous ? La bonne décision consiste à tirer une autre cartouche. Misez de nouveau et, si vous jouez en No

Limit Hold'Em, ne mégotez pas sur le montant. Le turn n'est pas le moment où vous devez afficher de la faiblesse. Vous serez parfois puni de votre agressivité mais, sur le long terme, vous gagnerez de l'argent. Le roi peut être une carte effrayante pour un joueur avec 9-10. En revanche, si dans l'exemple ci-dessus le turn avait affiché un 4, il aurait certainement été plus indiqué de cesser le feu. Si votre adversaire a un 10, il n'y a aucune chance que le 4 le fasse fuir.

C'est au turn que les mains des joueurs prennent réellement forme. Si vous avez été attentif, vous devez avoir une bonne idée de la force des mains de vos adversaires. Si le tableau ne vous a pas aidé, vous devez savoir s'il a aidé votre adversaire. Si vous pensez qu'il a une main, c'est le moment de sortir les freins et de ne plus engager de jetons dans le pot. Si vous pensez que le tableau n'a pas aidé votre adversaire, c'est le moment d'attaquer pour ramasser le pot. Si votre adversaire est un joueur serré, je vous conseille de miser pour le faire fuir. Si votre adversaire est un joueur agressif qui sait utiliser l'avantage de position et sait que le tableau ne vous a pas aidé non plus, c'est peut-être le moment d'opter pour un bluff en lui faisant un check-raise. Bluffer avec un check-raise vous permet de représenter une plus forte main qu'en vous contentant de miser.

Par exemple, imaginons que vous ouvrez en position intermédiaire avec R♠-D♠. Un joueur en fin de position suit. Le flop affiche 10-9-3 dépareillés. Vous misez et votre adversaire suit. Le turn affiche 4 d'une autre couleur. À cet instant, le flop ne semble dangereux pour personne. Vous avez toujours un tirage quinte par le ventre et deux cartes supérieures. Le fait que votre adversaire ait suivi au flop vous inquiète un peu. Il pourrait avoir un 10, un tirage quinte, deux cartes supérieures ou il est peut-être en train de vous tendre un piège pour remporter le pot au turn. En outre, votre adversaire sait certainement que le tableau ne vous est pas favorable. Si vous misez, il peut penser que vous tentez de voler le pot et vous relancer. Si vous checkez, il peut miser pour essayer de vous faire fuir. Vous pouvez alors le bluffer avec un check-raise, ce qui le mettra vraiment sur la défensive. À ce moment du jeu, il pensera que vous avez une main. S'il suit, vous savez qu'il a quelque chose. Néanmoins, il vous reste des outs, votre tentative n'est pas vouée à l'échec. Vous pourrez améliorer votre main et avoir la meilleure main sur la river.

C'est au turn que le prix augmente. En Limit, les mises doublent. En No Limit, le pot grossit généralement. C'est à ce stade que les joueurs veulent mettre la pression sur leurs adversaires. Les mains à tirage doivent être jouées avec précaution. Au flop, lorsqu'il reste deux cartes à venir, vos chances de toucher votre flop sont plus importantes. En revanche, si vous n'améliorez pas votre main au turn, vos chances d'améliorer votre main diminuent sensiblement. Recalculez les cotes du pot. Ce n'est pas parce que vous avez cherché un tirage au turn que vous devez persister sur la river. Inversement, si vos adversaires veulent continuer de chercher leur tirage, faites-leur payer le prix. Mettez-les sous pression. Votre lecture de vos adversaires, votre agressivité et l'avantage de position ont une importance primordiale au turn. Je vais vous donner un exemple tiré d'une partie que j'ai jouée récemment et qui illustre comment ces éléments interviennent au turn.

Il s'agissait d'une partie de No Limit Hold'Em à 10-20 dollars. Un joueur en début de position a ouvert de trois fois la big blind. J'ai suivi en fin de position avec 7♠-8♠. Mon adversaire n'avait pas beaucoup d'expérience et je voulais tirer avantage de ma position. En No Limit Hold'Em, en fin de position, les connecteurs assortis sont une bonne main. Nous n'étions que deux à voir le flop, qui a affiché 9♦-8♣-4♣. Mon adversaire a checké et j'ai misé à hauteur du pot avec la paire intermédiaire. Il a suivi. À cet instant, j'étais persuadé d'avoir la meilleure main. Je le mettais sur un tirage couleur avec deux trèfles en

main. Il y avait quand même une chance qu'il ait un 9. Le turn a affiché le 10p. Mon adversaire a de nouveau checké. À ce moment, le pot est suffisamment important pour mériter d'être remporté dès à présent. S'il est sur un tirage, je vais lui faire payer le prix. S'il a un 9, je veux lui faire peur en représentant une paire de 10. Si je suis dans l'erreur et qu'il a, disons, une paire de dames et qu'il me suive, j'ai encore quelques outs puisque je peux tirer une quinte par les deux bouts.

Mon tapis couvre facilement celui de mon adversaire ; je décide donc de lui mettre le maximum de pression et mise suffisamment pour l'obliger à miser son tapis. Il suit et retourne bien sûr A♣-V♣. La river a révélé le V♠, lui donnant la top paire mais également ma quinte. Cela m'a permis de remporter un gros pot. Je lui ai fait payer son tirage. Il n'avait pas la cote pour chercher un tirage. Si vous obligez vos adversaires à commettre ce type d'erreur, vous gagnerez de l'argent au poker. Ne vous inquiétez pas pour les rares fois où ils toucheront leur tirage. Cela arrivera mais, sur le long terme, vous gagnerez de l'argent.

Examinons, à partir de la main précédente, un autre scénario. Mon adversaire relance avec A♣-V♣. Je relance avant le flop avec 7♣-8♣ mais, cette fois, le flop affiche D♦-9♦-4♠. Mon adversaire, comme il a l'habitude de le faire, fait une mise de continuation après avoir relancé avant le flop. Je suis confiant, je pense en effet pouvoir remporter la main au turn. Le turn affiche 2♦. Là encore, mon adversaire mise. À cet instant, j'envisage de relancer. Même si mon adversaire a une main comme A-D, il hésitera un moment avant de miser avec le tirage couleur carreau sur le tableau. C'est là qu'intervient l'avantage de position. Comme j'ai suivi sur le flop, mon adversaire peut facilement me mettre sur un tirage couleur. Lorsque le tirage couleur tombe au turn, je peux facilement remporter le pot avec une forte relance même si le turn ne m'a pas aidé. En No Limit, connaître votre adversaire et

utiliser l'avantage de position peuvent vous permettre de gagner beaucoup d'argent.

À présent, ajoutons un autre élément à l'exemple précédent. Imaginons exactement la même main mais, cette fois, c'est le 2♠ et non pas le 2♦ qui tombe au turn. J'ai à cet instant un véritable tirage couleur avec les deux piques sur le tableau. Pourtant, mon potentiel de bluff a disparu puisque je ne peux plus représenter un tirage couleur carreau. Dans ce cas précis, l'analyse devient plus évidente. Mon adversaire se sent en confiance avec A-D puisqu'il a la top paire avec le top kicker. S'il est malin, il va miser, et miser suffisamment pour m'obliger à coucher n'importe quelle main à tirage. En d'autres termes, il devrait miser suffisamment pour ne pas me donner la cote correcte pour suivre. Il devrait me faire payer le prix fort pour mon tirage. S'il agit ainsi, il va m'obliger à jeter mes cartes. Il n'y a que si je pense pouvoir lui prendre beaucoup d'argent si je touche mon tirage sur la river que je ne jetterai pas mes cartes. C'est là que la connaissance de l'adversaire intervient, surtout en No Limit Hold'Em. S'il n'a pas beaucoup d'expérience et suit une grosse mise sur la river avec sa top paire si je touche ma couleur, alors, il est peut-être intéressant de suivre. Mais, contre un bon joueur qui ne vous paiera pas, vous devrez toujours jeter vos cartes. Imaginons, à présent, que mon adversaire ne mise pas mais qu'il préfère checker sur le turn. Que vais-je faire ? Je checke et je prends la carte gratuite pour voir si je touche ma couleur. Vous avez peu à gagner en misant ici et en revanche beaucoup à perdre. En misant, je m'expose à un check-raise qui pourrait me coûter cher et, s'il relance suffisamment, je pourrais même ne pas voir la dernière carte.

En No Limit Hold'Em, vous devez toujours veiller à ne pas ouvrir la porte et à ne pas vous exposer à une relance. Il y a des moments pour bluffer et des moments pour un semi-bluff. Il y a aussi un moment pour une carte gratuite. Chaque fois que vous misez ou relancez, vous encourez le risque qu'un adversaire vous surrelance d'un montant suffisant pour vous obliger à coucher votre main. Avant de miser ou de relancer, prenez toujours quelques instants pour vous poser la question suivante : quel est mon objectif ? Étudier les deux exemples précédents devrait vous permettre de mieux comprendre ce point. Dans le premier exemple, lorsque je représente une couleur à carreau, je souhaite remporter le pot au turn. Cela peut marcher ou non. Si je suis surrelancé je peux toujours jeter mes cartes. La river ne me sera d'aucune aide de toute façon. Dans le second exemple, je veux voir la river. Puisque le flop n'est pas aussi effrayant pour mon adversaire, il va être de toute façon plus difficile de le faire fuir. Dans ce cas, mon objectif est de voir la river à moindres frais. Une mise ou une relance ne sert pas mes intérêts et pourrait même me coûter ma main si mon adversaire me relance.

La river

Ça y est ! Vous êtes arrivé à la river. Toutes les cartes sont sur la table. Il n'y a plus aucune chance d'amélioration. Il reste un dernier tour de mise avant d'arriver à l'abattage. Quelles sont vos options ?

D'abord, est-ce que vous avez la meilleure main ? Si vous pensez avoir la meilleure main, votre objectif est de maximiser vos gains. Vous devez faire une mise de valorisation. Si vous êtes le premier à parler, vous devez miser. En No Limit, vous devrez miser le montant que votre adversaire est prêt à payer. Le montant de votre mise dépendra donc de votre lecture de votre adversaire. Un adversaire expérimenté paiera plus facilement une grosse mise qu'une petite, puisque, avec une plus grosse mise, il peut penser que vous essayez de voler le pot. Seule exception : si vous êtes presque certain que votre adversaire misera si vous checkez. Dans ces cas-là, n'ayez pas peur d'envoyer et d'effectuer un check-raise, ce qui vous permettra de lui prendre plus d'argent.

Si vous avez la meilleure main et que vous soyez le dernier à parler, vous n'avez qu'une décision à prendre : choisir le montant de votre mise ou de votre relance. Si votre adversaire checke ou mise, vous devez miser ou relancer d'un montant que votre adversaire sera disposé à payer.

Antonio et son premier bracelet des WSOP.

Mais que faire lorsque vous n'êtes pas certain d'avoir la meilleure main. Si vous n'avez pas la meilleure main, votre décision devra être fondée sur votre lecture de votre ou de vos adversaires. Pensez-vous que l'un d'eux a une main ? Si c'est le cas, checkez et jetez vos cartes s'ils misent. S'ils décident eux aussi de checker, vous aurez deux éléments à prendre en compte : la taille du pot et le style de jeu de vos adversaires. Si le pot est important, cela vaut peut-être la peine de tenter quelque chose. La question devient : parviendrez-vous à faire fuir vos adversaires ? Si vous avez plusieurs adversaires, vous aurez plus de mal à tous les faire fuir. Si vous êtes en tête à tête, c'est votre lecture de votre adversaire qui sera décisive. Est-ce qu'il a manqué son tirage sur la river ? Quel est son degré d'agressivité ? Va-t-il jeter ses cartes au moindre signe de force ? Si votre adversaire a l'habitude de chercher son tirage jusqu'à la river et de jeter ses cartes si son tirage avorte, vous devez l'attaquer. Si votre adversaire est un joueur coriace qui sait que vous essayez de voler le pot et va vous revenir dessus, ne gaspillez pas votre argent. Conservez vos jetons pour une meilleure occasion.

À la river, la situation la plus délicate est la suivante : vous avez une main et votre adversaire effectue une forte mise. Vous avez une bonne main mais pas le jeu max et, tout d'un coup, vous vous retrouvez face à un adversaire qui va à tapis. Vous étiez en train de vous demander comment prendre le maximum d'argent à votre adversaire lorsqu'il a envoyé. Qu'allez-vous faire ? Avant d'étudier quelques exemples précis; je veux souligner un point très important. En No Limit, quand un joueur effectue une mise importante ou une grosse relance à la river, dans la plupart des cas il a la meilleure main. Si vous hésitez entre suivre ou jeter votre main, la meilleure décision consistera presque toujours à vous coucher. Souvenez-vous de ce que nous avons dit au deuxième chapitre, le meilleur moyen de gagner de l'argent est de jeter ses cartes. Cette phrase est aussi vraie à la river qu'avant le flop. Vous ne voulez pas engager tous vos jetons avec une main certes forte mais perdante. Économisez vos jetons. Gardez-les pour une occasion où vous pourrez mettre la pression sur votre adversaire. En No Limit, vous devez être le chasseur, pas la proie.

Prenons un exemple. Vous jouez dans une partie de No Limit Hold'Em à 10-20 dollars et vous ouvrez de 60 dollars en début de position avec une paire de dames. Un joueur agressif suit en fin de position. Le flop affiche D♦-V♦-3♦. Bingo ! Vous venez de toucher le brelan max mais le tableau affiche trois carreaux. Puisque vous ne sous-jouez jamais un brelan (surtout avec trois carreaux au flop), vous misez 100 dollars dans un pot de 150 dollars. Votre adversaire suit. Le turn révèle un inoffensif 6 de trèfle. Le pot est maintenant de 350 dollars, vous misez 300 dollars. Votre adversaire suit à nouveau. La river révèle le 9 de cœur. Le pot fait maintenant 950 dollars. Vous misez 800 dollars et votre adversaire vous relance à tapis. Il va vous en coûter 3 400 dollars pour suivre. Même si vous avez une très bonne main, votre adversaire a toutes les chances d'avoir une couleur. Même s'il s'agit d'un joueur agressif, il n'en est pas pour autant stupide. S'il avait voulu bluffer, il aurait bougé sur le turn. Cela a tout du piège classique, il a sous-joué la couleur max depuis le flop. Limitez vos pertes, économisez votre argent et attendez une meilleure occasion.

Maintenant que vous avez vu l'efficacité des mises ou des relances importantes à la river, vous comprenez que vous pourrez les utiliser pour bluffer. En No Limit, vous pourrez bluffer en effectuant une grosse mise ou une grosse relance sur la river. Cette tactique peut se révéler extrêmement efficace. Mais, si vous optez pour cette stratégie, je dois au préalable vous rappeler quelques règles de prudence. D'abord, n'adoptez pas cette tactique contre le mauvais adversaire. N'utilisez pas cette stratégie contre un joueur qui suivra avec n'importe quel jeu fait. Utilisez-la plutôt contre les joueurs expérimentés. N'en abusez pas. Il s'agit d'une arme efficace mais à n'utiliser qu'avec la plus grande parcimonie, voire pas du tout. Cette tactique est extrêmement risquée. Même si votre bluff a une chance de réussir, vous courez toujours le risque de vous retrouver contre une main monstre. Enfin, ne gaspillez pas une grosse partie de votre bankroll sur ce genre de tactique. Vous ne devez jamais miser (et encore moins suivre) une somme qui amputerait considérablement votre bankroll si vous n'êtes pas certain d'avoir la meilleure main.

CHAPITRE 10

Les tables shorthanded

Les tables shorthanded comptent généralement trois ou cinq joueurs. Lorsqu'il y a plus de six joueurs autour de la table, on considère que l'on se rapproche d'une table pleine. Avec moins de trois joueurs, vous êtes en tête à tête, sujet qui sera étudié au prochain chapitre.

Dans quelles circonstances peut-on se retrouver à une table shorthanded ? Dans les périodes creuses dans les casinos, comme tôt dans la matinée, à l'heure du repas, les parties seront en shorthanded. (Même si, avec la popularité croissante du poker, les périodes creuses ont tendance à se réduire et le laps de temps entre deux périodes creuses, à augmenter.) De nombreux sites Internet proposent des parties shorthanded avec un maximum de cinq ou six joueurs à la table.

Beaucoup de joueurs apprécient ce genre de parties parce que le rythme de jeu y est plus rapide. Avec moins de joueurs, non seulement vous jouerez plus de mains mais les mains seront également plus rapides.

Même si vous préférez jouer aux tables pleines, je vous conseille d'essayer de jouer quelques parties shorthanded. Vous ne pouvez pas savoir quand vous vous retrouverez dans une partie de cette sorte. La partie juteuse à laquelle vous êtes assis pourrait perdre un ou plusieurs joueurs pendant les heures creuses. Vous devrez par conséquent jouer en shorthanded. Dans un tournoi, vous vous retrouverez souvent à ce type de table. Si vous êtes à une table de neuf joueurs, une fois que trois joueurs auront été éliminés, votre table sera shorthanded.

Comment jouer à une telle table ? Il existe deux grosses différences entre elle et une table complète : le choix des mains de départ et le degré d'agressivité. Examinons d'abord la sélection des mains de départ.

À une table shorthanded, il semblerait judicieux d'étendre votre choix de mains de départ. C'est le cas des mains que vous auriez jouées en position intermédiaire à une table complète et qui deviendront jouables en début de position. Néanmoins, si la texture du jeu a changé, la texture de vos mains de départ doit, elle aussi, changer. Qu'est-ce que cela signifie ? À une table complète, notre sélection des mains de départ est basée sur les mains que nous pensons que nos adversaires peuvent avoir et sur le nombre de joueurs susceptibles de voir le flop. Avec un nombre de joueurs moindre, il y aura moins de mains fortes par pot et moins de joueurs iront voir le flop. Il faut donc adapter votre jeu à ce nouvel environnement. Des mains marginales en table complète, comme A-10 ou R-V, prennent de la valeur. Vous pouvez non seulement les jouer mais, en plus, je vous conseille de les jouer de façon agressive. Puisque ces mains ont, de toute façon, plus de valeur à une table shorthanded, vous avez intérêt à relancer avec ces mains afin de restreindre le nombre de vos adversaires.

En revanche, des mains comme les connecteurs assortis perdent de leur valeur à une table shorthanded. En effet, ces mains rapportent énormément quand vous touchez une main monstre et que vous êtes suivi par beaucoup d'adversaires. À une table shorthanded, vous risquez de ne pas avoir autant d'action. Pourquoi ? À une table complète, si vous pouvez voir le flop à moindre coût avec des connecteurs assortis, vous aurez trois ou quatre adversaires. Si vous touchez une main monstrueuse au flop, vous avez une bonne chance qu'au moins un de vos adversaires ait une main jouable et vous paie. À une table shorthanded, quand vous entrez dans un coup avec des connecteurs assortis, vous allez vous retrouver en tête à tête ou au mieux face à deux adversaires. Par conséquent, même si vous touchez votre flop, la probabilité que votre adversaire ait une bonne main est faible. Vos chances d'être suivi sont donc plus faibles.

Je ne suis pas en train de vous conseiller de ne pas jouer vos connecteurs assortis. Je veux seulement que vous gardiez à l'esprit le raisonnement précédent et que vous adaptiez votre jeu en conséquence. Si vous êtes à une table shorthanded large passive avec beaucoup de limpers avant le flop, vous pouvez jouer vos connecteurs assortis. Si vous jouez en No Limit Hold'Em et qu'il y ait un ou deux joueurs hyperagressifs qui vous donnent de l'action quoi qu'il arrive, vous pouvez là encore jouer ces connecteurs assortis.

L'autre grosse différence à une table shorthanded se situe au niveau de l'agressivité ou, plutôt, du degré d'agressivité à adopter. Par rapport à une table complète, vous devez monter d'un cran en terme d'agressivité. Montrez-vous plus agressif qu'à l'accoutumée et cela de n'importe quelle position. La position reste le facteur le plus important, mais des mains comme A-10 de même couleur deviennent jouables en début de position. Non seulement elles sont jouables, mais vous devez même envisager de relancer avec ce genre de main. Si vos adversaires ont jeté leurs cartes avant vous lorsque vous êtes en fin de position, A-x de même couleur voit sa valeur augmenter. Pourquoi ? À une table complète ou en shorthanded, si les joueurs avant vous jettent leurs cartes et que vous soyez au bouton avec A-x de même couleur, pourquoi cette main est-elle plus forte en shorthanded alors que, dans les deux cas, vous n'avez que deux adversaires aux blinds susceptibles de vous suivre ? Parce qu'avec dix joueurs à la table il est probable qu'il y aura de meilleures mains de départ qu'à une table de cinq joueurs. Si tout le monde a jeté ses cartes quand c'est au tour du bouton de parler, plus il y a de joueurs plus les mains restantes ont de chances d'être fortes.

S'il n'y a que trois joueurs à la table, alors, presque n'importe quelle main devient jouable si vous avez la position. Je me souviens d'une table de trois joueurs à Colma il y a quelques années ; Phil Laak était hyperagressif et je ne pouvais pas le laisser me marcher dessus. J'ai donc suivi avec 7-2 de pique, ce qui est loin d'être une bonne main de départ. Le flop a affiché D-10-2 avec deux piques sur le tableau. Nous sommes tous les deux allés au tapis, avec chacun 6 000 dollars. Phil a retourné Dt-10t, lui donnant 60 % de chances de l'emporter. Je n'ai pas touché de pique, mais un magnifique deux de cœur est arrivé au turn et j'ai écrasé "the Unabomber". Je ne l'écrase pas si souvent, j'ai donc trouvé très agréable de toucher mon tirage.

Le tête-à-tête

Les parties en tête à tête sont complètement différentes des parties à une table complète ou à une table shorthanded. Si vous êtes un débutant, vous vous demandez peut-être en quoi étudier le poker en tête à tête peut-il vous servir. En effet, si vous jouez dans les parties de cash game organisées par les casinos ou les salles de jeu, vous avez très peu de chances de vous retrouver dans une partie en tête à tête. Organiser des parties en tête à tête ne serait d'ailleurs pas rentable pour les casinos ou les salles de jeu. Avec l'engouement que connaît actuellement le poker, les salles de jeu n'ont aucun intérêt à immobiliser une table et un croupier pour seulement deux joueurs.

Malgré cela, j'encourage vivement tous les joueurs, et cela quel que soit leur niveau ou leur expérience, à prendre quelques heures pour jouer en tête à tête. Cela vous sera très utile, et ce pour plusieurs raisons. D'abord parce que, si vous participez à des tournois, vous finirez par vous retrouver en tête à tête. Même si vous n'en êtes pas encore là, les casinos, les salles de jeu et les sites Internet organisent beaucoup de tournois à une table selon la formule sit and go, et vous vous retrouverez inévitablement, un jour, en tête à tête face à un seul adversaire. En outre, les parties en tête à tête gagnent en popularité. Tous ceux qui aspirent à devenir joueurs professionnels se doivent de maîtriser toutes les formes de poker afin d'être en mesure de relever de nouveaux défis. Au cours des dernières années, de nombreuses parties de cash game en tête à tête ont été organisées. Le Golden Nugget a organisé le premier championnat de poker en tête à tête entre soixante-quatre des meilleurs joueurs de la planète dans une formule à élimination directe. C'est grâce à mon expérience du jeu en tête à tête acquise lors de mes débuts au poker que j'ai pu atteindre les demi-finales.

Mais, surtout, les parties en tête à tête sont un excellent moyen d'emmagasiner beaucoup d'expérience en très peu de temps. Que vous soyez débutant ou un joueur confirmé qui souhaite améliorer son jeu, les parties en tête à tête sont un excellent moyen d'y parvenir. Vous y apprendrez la valeur des mains. Comme vous pourrez le constater très rapidement, les parties en tête à tête vous permettent de jouer un très grand nombre de mains de départ. Vous verrez beaucoup de flops et vous saurez alors, par expérience, combien il est difficile de toucher son flop, et cela quelles que soient les cartes que l'on a en main.

En tête à tête, vous ne devez vous concentrer que sur un seul et unique adversaire. Vous devez étudier le moindre de ses mouvements et découvrir toutes ses petites manies et habitudes. Vous jouerez le joueur beaucoup plus que les cartes. Puisque vous aurez tous les deux du mal à avoir régulièrement des mains fortes, c'est celui qui réussira le mieux à lire l'autre qui sortira vainqueur. C'est un excellent exercice pour ceux qui aspirent à devenir joueurs de No Limit Hold'Em. Il y a tellement de coups et de subtilité en No Limit même à une table complète. Le jeu en tête à tête n'est que feinte et subtilité. Le tête-à-tête est le terrain d'entraînement idéal. Si vous comptez gagner votre vie en jouant au poker, vous devrez très vite apprendre à enrichir votre jeu plutôt que seulement compter sur les cartes. Si vous vous contentez de jouer les bonnes mains, vous ne remporterez pas beaucoup de pots. Vous devez deviner quand votre adversaire est faible et vulnérable. Vous devez savoir ce que votre adversaire pense de vous. Vous devez savoir comment et quand contre-attaquer. Vous devez savoir quand appuyer sur l'accélérateur et quand sortir les freins. Vous devez savoir quand tendre un piège et quand faire fuir votre adversaire. Vous devez savoir quand checker, jeter vos cartes et éviter les pièges. En résumé, vous devrez être capable de lire votre adversaire et de déjouer ses plans. Une fois que vous maîtriserez tous ces points, vous serez devenu un adversaire dangereux à n'importe quelle table de Hold'Em.

Maintenant que vous savez pourquoi il faut s'entraîner au tête-à-tête, nous allons examiner les stratégies spécifiques à ce type de partie. Tout d'abord, vous devez comprendre que le concept des mains de départ ne vous sera d'aucune utilité dans ce genre de partie. N'importe quelle main devient jouable pour un bon prix. L'agressivité tient un rôle encore plus important. Votre lecture de votre adversaire devient primordiale. Seule la position conserve son rôle essentiel.

À une table complète, c'est en jetant ses cartes que l'on gagne de l'argent. Les débutants jouent toujours trop de mains. En tête à tête, en revanche, jeter ses cartes est le meilleur moyen de finir sur la paille. Si vous êtes au bouton, vous devez presque toujours aller voir le flop.

Puisque vous aurez l'avantage de la position sur tous les tours de mise après le flop, vous ne devez pas abandonner cet avantage à votre adversaire facilement. Considérez que les parties en tête à tête s'apparentent à un match de tennis. L'avantage de position correspond au service. Si vous conservez votre mise en jeu et que vous preniez de temps en temps le service de votre adversaire, vous allez l'emporter. Vous devez être agressif quand vous avez l'avantage de la position mais, là encore, faire preuve de mesure. Vous devez jouer le joueur. Vous devez savoir si votre adversaire est fort ou faible afin de prendre les bonnes décisions. S'il est faible, soyez agressif quelles que soient les cartes que vous avez en main. Si vous êtes constamment agressif, votre adversaire aura beaucoup de mal à vous lire. Si vous pensez que votre adversaire a une bonne main, ralentissez de façon à éviter de tomber dans un piège.

En tête à tête, n'importe quelle paire devient une main de premier choix. Si vous touchez la plus petite paire au flop, ne soyez pas déçu. Positivez. Toucher une paire n'est pas si facile, vous avez certainement la meilleure main à ce stade. Je vais vous donner un exemple de la puissance d'une paire. Je participais à une partie en tête à tête de No Limit à 20-40 dollars. Mon adversaire avait environ 12 000 dollars en jetons devant lui mais je le couvrais. J'étais au bouton avec 5♥-7♥. J'ai relancé à 140 dollars. Il a suivi. Le flop a affiché 2-5-8 avec deux piques. Il a misé 250 dollars. Que devais-je faire ? Bien, peut-être était-il en plein bluff avec une main comme D-V et je pouvais l'empêcher d'améliorer sa main. Mais que se passerait-il s'il avait deux piques ? Il n'allait certainement pas coucher un tirage couleur parce que nos tapis étaient trop importants. Je ne voulais donc pas faire grossir le pot avec la deuxième paire s'il était sur un tirage couleur. En outre, il pourrait me surrelancer et je devrais certainement lui abandonner le pot. Je ne voyais aucun intérêt de miser dans ce contexte. Si je n'avais rien eu, j'aurais certainement dû relancer, mais puisque j'avais quelque chose j'ai estimé qu'il valait mieux suivre. C'est ce que j'ai fait.

Le turn a affiché le 10♥. Il a envoyé 900 dollars sans marquer la moindre hésitation. C'était le moment de réfléchir. Quelle main pouvait-il avoir ? S'il avait vraiment la top paire qu'il essayait de représenter sur le flop, pourquoi miser autant sur le turn ? La carte supérieure n'aurait-elle pas dû l'effrayer un peu ? J'ai donc pensé qu'il n'avait certainement pas un 8. Aurait-il pu avoir un 10 ? Peut-être avait-il bluffé le pot avec V-10 ? Peut-être avait-il floppé un brelan ? La plupart des gens ont tendance à checker quand ils floppent un brelan. J'ai donc décidé d'exclure cette éventualité. En fin de compte, j'ai jugé plus probable qu'il soit sur un tirage avec peut-être une maigre chance qu'il ait un 10.

Sachant cela, que devais-je faire ? Même si j'étais presque certain qu'il était sur un tirage, avais-je intérêt à relancer ? Que se passerait-il s'il me surrelançait ? Voulais-je vraiment abandonner le pot avec la troisième paire ? Était-il en plein bluff ? Est-ce que je veux l'éjecter du coup ou l'empêcher de tirer une troisième cartouche sur la river ? Là encore, j'ai pensé que la meilleure tactique était de suivre. S'il était sur un tirage et qu'il touche ce tirage sur la river, eh bien, c'est le poker ! S'il ne le touchait pas, cela me rapporterait énormément ; et cela m'a convaincu de le laisser chercher son tirage.

Creusons un peu l'aspect théorique de cette main. S'il avait 6♠-7♠ et que je le relance, il aurait très bien pu me relancer à tapis ou, au minimum, vu le nombre important d'outs dont il bénéficiait, payer pour voir la river. Je ne voulais surtout pas lui entrouvrir la porte pour une éventuelle relance à tapis qui m'empêcherait de voir la river. C'est là que réside la différence fondamentale entre le No Limit et le Limit. Très souvent, en No Limit, vous penserez avoir la meilleure main et, pourtant, vous ne voudrez pas relancer et offrir à votre adversaire la possibilité de vous éjecter en vous surrelançant. Maintenant, que se serait-il passé si j'avais relancé et que ma lecture de mon adversaire soit mauvaise et que mon adversaire ait un brelan. J'étais tellement persuadé qu'il était sur un tirage que si j'avais suivi son tapis j'aurais tiré mort. En revanche, en me contentant de suivre au turn et à la river j'aurais économisé 8 000 dollars. Par conséquent, une fois que j'ai eu envisagé tous ces éléments, j'ai décidé de suivre sur le turn.

La river a affiché la D♦. Le tableau était 2-5-8-10-D et n'offrait aucun tirage couleur. Il y avait encore une chance qu'il ait une quinte s'il avait V-9. Mon adversaire a misé 2 500 dollars. Là encore, je me suis creusé les méninges. Il ne pouvait définitivement pas avoir le 8 qu'il essayait de représenter sur le flop parce qu'il ne miserait pas autant d'argent avec la troisième paire. J'étais également certain qu'il n'avait pas le 10 parce que, là encore, il n'aurait pas misé autant après l'apparition de la carte supérieure. Donc, quelle main pouvait-il avoir ? Il avait touché un brelan ou une double paire, une paire de dames à la river ou il était sur un tirage. Parmi toutes ces éventualités, je continuais de le voir en priorité sur un tirage qui avait avorté. J'ai décidé de me fier à mon instinct et de suivre avec la quatrième paire sur le tableau. J'étais toujours persuadé que mes 5 tiendraient. Il s'est contenté de dire « Bien joué ». Je n'ai jamais vu ses cartes mais je pense qu'il cherchait un tirage quinte ou couleur qui a avorté. En misant sur le turn plutôt qu'en relançant je lui ai offert une autre occasion de bluffer le pot au lieu de risquer une relance sur le turn.

N'oubliez jamais qu'en tête à tête, n'importe quelle paire est une excellente main. Vous pouvez jouer toutes les mains si vous le désirez. Mettez vos adversaires sur la défensive, laissez-les dans le flou et n'abandonnez jamais. Attaquez, attaquez, attaquez. Continuez d'attaquer et vous l'obligerez à suivre quand vous aurez une bonne main. Construisez le pot et ramassez-le. Alimentez-le avant le flop et ramassez-le après le flop. N'oubliez pas qu'il est très difficile d'améliorer sa main.

Nous savons pourquoi et comment jouer en tête à tête, il nous reste maintenant à répondre à la dernière question. Où pourrez-vous trouver des parties en tête à tête ? Comme je l'ai déjà dit, les salles de jeu et les casinos ne vous proposeront pas de parties de cash game en tête à tête. La plupart des sites Internet, en revanche, le feront, et à plusieurs niveaux de limite. Vous n'aurez donc pas de difficulté à trouver une partie qui vous convienne. Mais jouer sur Internet ne vous permet pas d'améliorer votre lecture de votre adversaire, ce qui est le principal intérêt des parties en tête à tête. Je vous conseille donc plutôt de saisir toutes occasions qui se présenteront de jouer contre un de vos amis qui joue lui aussi au poker. Ces parties n'ont pas besoin d'être très chères. Faites preuve d'imagination. Ne jouez pas pour de l'argent. Lorsque j'ai commencé à jouer, je jouais avec mes colocataires pour décider qui allait sortir la poubelle, laver la vaisselle, passer l'aspirateur ou n'importe quelle autre corvée. Avec ce genre d'enjeu, nous jouions pendant des heures des parties acharnées où chaque jeton devait être arraché de haute lutte. Faites la même chose et je vous garantis que vous ne le regretterez pas.

N'oubliez jamais que les stratégies et les critères en matière de mains de départ en tête à tête sont très différents de ceux en table complète. Apprenez tout ce que vous pourrez dans les parties en tête à tête mais n'oubliez pas de changer de vitesse lorsque vous reviendrez à une table complète.

CHAPITRE 12

Votre image à la table

À une table de poker, un joueur a le choix entre deux images. La première image est celle du joueur fou. C'est une image très difficile à mettre en place. Vous devez donner l'impression de jouer vite et large afin d'avoir de l'action quand vous touchez votre main. Cette image a un revers : elle vous obligera à jouer un grand nombre de mains même hors de position.

Pour avoir l'image d'un joueur fou, vous devez être agressif et, surtout, vous sentir à l'aise dans ce style de jeu. Non seulement vous devez étendre votre sélection de mains de départ, mais vous devrez également attaquer avec des mains marginales. Ce n'est pas un style de jeu très facile à mettre en place. Les bénéfices d'une telle image pour les

Antonio en couverture de Card Player.

quelques joueurs capables de l'utiliser peuvent être énormes. Lorsque vous touchez une main à partir d'une main marginale, vous avez de grandes chances d'être payé parce que votre main est invisible et que votre adversaire affichera, à juste titre, un certain mépris à votre encontre. Pour réussir à créer cette image, il faut être capable de ralentir si nécessaire. Si vos adversaires sont faibles et jouent serrés, ce style de jeu peut être très efficace – mais vous devez comprendre que, quand vous serez relancé, il y a de grandes chances que votre adversaire ait quelque chose. Si vos adversaires sont des bons joueurs agressifs, ce style de jeu peut rapidement se révéler très onéreux. Vous ne pouvez pas jouer toutes vos mains marginales mais vous ne pouvez pas non plus laisser les joueurs agressifs vous faire fuir quand vous le faites.

Je recommande fortement aux débutants et aux joueurs inexpérimentés d'adopter le second style de jeu : prudent serré. En d'autres termes, vous respecterez la sélection des mains de départ définie dans les chapitres précédents. Vous jouerez un poker classique en vous accordant, de temps en temps, quelques entorses. Vous utiliserez votre image de joueur prudent pour voler quelques pots. Je ne parle pas de voler les blinds ni d'effectuer des relances en position. Ces stratégies doivent faire partie de votre arsenal de joueur de poker. Pour voler un pot, vous devrez effectuer un bluff total sur un gros pot lorsque vous sentez une faiblesse chez votre adversaire. Par exemple, imaginons que vous suivez en fin de position avec 7-8 de même couleur. Le flop affiche 5-5-2 avec aucune carte de votre couleur. Même si vous n'avez pas amélioré votre main, vous savez qu'elle n'a pas aidé votre adversaire non plus. Vous suivez sur le flop. Si le turn révèle une autre carte basse, vous pouvez attaquer le coup. Quoi que fasse votre adversaire, qu'il mise ou qu'il checke, envoyez. À moins qu'il ait une grosse main, il ne suivra pas. Votre image de joueur prudent vous donne un avantage.

N'oubliez jamais, cependant, que vous ne devez pas effectuer ce genre de bluff face à un adversaire qui ne soit pas assez malin pour remarquer votre style de jeu prudent. Vous devrez également veiller à ne pas effectuer ce genre de mouvement dans un pot à plusieurs joueurs puisqu'il est plus probable qu'un joueur ait véritablement une grosse main.

Avec l'expérience, vous chercherez à varier votre jeu pour que vos adversaires aient plus de mal à vous lire et ne sachent pas sur quel pied danser, ce qui sera toujours une bonne chose pour vous. Être capable de changer de vitesse vous permettra également d'adapter votre jeu en fonction des changements de style de vos adversaires. Si vous rejoignez une table serrée, que vous commenciez à jouer de façon agressive et que vous constatiez que tout le monde se met à jouer plus large, vous pourrez resserrer votre jeu. Il existe une tendance constante en poker : lorsqu'on ouvre une table, le jeu est généralement prudent. Cela provient d'une combinaison de facteurs. Les joueurs préfèrent prendre leur temps pour s'adapter au jeu. Les joueurs veulent se jauger. Certains ont décidé de jouer serré, avec prudence et surtout de ne pas partir en tilt. Et personne n'est encore limité par l'argent. Après quelques tours et quelques pots, le jeu va généralement devenir beaucoup plus large.

C'est seulement un exemple du changement de la dynamique de la table. Vous devez, bien sûr, être toujours concentré sur la texture de la partie. Vous devez également connaître les habitudes de chacun de vos adversaires et ce qu'ils pensent les uns des autres. Une table relativement serrée peut devenir beaucoup plus large avec l'arrivée d'un joueur large à la table.

En No Limit, deux facteurs prennent plus d'importance qu'en Limit : votre image à la table et votre lecture de vos adversaires. En Limit, vous pouvez gagner de l'argent sans prendre trop de risques. En d'autres termes, en ne jouant que les bonnes mains et en les jouant de façon agressive. Jouez vos cartes et prenez les bonnes décisions et vous gagnerez de l'argent. En No Limit, en revanche, cela ne suffira pas. Les enjeux sont tout simplement trop élevés. Si un joueur relance à hauteur du pot ou fait une relance à tapis, vous avez besoin d'informations sur ce joueur. Si vous effectuez une grosse mise ou une forte relance, vous devez savoir comment vos adversaires vont réagir. Si vous misez pour faire fuir un adversaire, vous avez intérêt à ce que votre image corrobore votre mise.

Le No Limit est un jeu qui réclame beaucoup d'ingéniosité. Le Limit est un jeu où il est important de connaître les mathématiques. Le No Limit est une véritable guerre des nerfs. Je vous conseille de commencer à des niveaux inférieurs. Commencez avec un petit tapis. Cela vous permettra de ne pas risquer trop d'argent et donc de ne pas jouer la peur au ventre. Changez de style et regardez comment réagissent vos adversaires. Soyez attentif à tout ce qui se passe. Analysez le style des autres joueurs assis à la table et regardez comment ils réagissent les uns par rapport aux autres. Si vous restez concentré sur tout ce qui se passe et que vous essayiez plusieurs styles de jeu, vous serez très vite capable de changer de vitesse sans effort et d'adapter votre stratégie en fonction de la table.

Le poker demande beaucoup d'entraînement. Il faut 10 minutes pour apprendre les règles et toute une vie pour en maîtriser la subtilité. Une fois que vous maîtrisez les bases du jeu, il vous reste encore beaucoup de travail. Vous devrez faire beaucoup d'essais pour vous sentir à l'aise. Vous voulez que le jeu n'ait plus de secrets pour vous. Pour y parvenir, vous devez manipuler et leurrer vos adversaires. Vous ne pourrez jamais y parvenir si vous n'avez pas la bonne image à la table. Comme tous les autres aspects de votre jeu, construire votre image à la table vous demandera des heures de travail et d'entraînement.

Lorsque je m'entraînais douze heures par jour pour devenir magicien, je ne me concentrais pas que sur les tours. Enfin, si, au début. Mais, une fois que j'ai maîtrisé les bases, j'ai compris que je devais soigner ma performance. Je devais être capable de faire croire que ces tours étaient faciles. Devenir un bon magicien demandait plus que la capacité de réussir quelques tours. Je devais être un showman. Mon image a joué un rôle décisif dans mon succès.

Lorsque j'ai commencé à jouer au poker, c'était la même chose. Je me suis d'abord concentré pour apprendre les bases. Pour passer au niveau supérieur, je savais que je devais travailler mon image. Vos adversaires sont votre public. Jouez avec eux. Donnez l'impression d'être facile.

J'aime être amical envers tout le monde à la table. Si je peux les dérider, ils ont des chances de baisser leur garde. Si je leur pose une question, ils peuvent trahir la force de leur main. Le poker peut être un jeu relativement ennuyeux parfois. J'aime que tout se passe bien à la table. Lorsque quelqu'un mise beaucoup d'argent contre moi, j'aime lui demander ce qu'il a. Il commence à compter ses jetons et je lui demande : "Non, tu as quoi, comme cartes ?" Cela provoque généralement des gloussements suivis par une réponse quelconque. Ce qu'il ne sait pas, c'est que, d'une façon ou d'une autre, il m'a donné des informations sur sa main.

CHAPITRE 13

Les différents styles de jeu

Le terme "texture du jeu" fait référence au style de jeu de la table dans son ensemble, constitué par le comportement collectif de tous les joueurs assis à la table. Même si chaque partie est unique, beaucoup de joueurs ont des styles semblables, et le style de la table peut souvent être classé dans une catégorie précise. Avant d'étudier ces styles, gardez toujours à l'esprit qu'il s'agit de généralisations. La texture d'une partie est fluide. En d'autres termes, elle évolue et change constamment. Certains de vos adversaires changeront de style au milieu de la partie. Un joueur qui vient de perdre un gros pot peut tilter ou resserrer son jeu. Cela dépend de sa personnalité. Des joueurs quitteront la table, d'autres la rejoindront. L'arrivée d'un maniaque à une table jusque-là serrée peut complètement changer la texture de la partie. Si vous jouez sur Internet, il y aura beaucoup de *turnover* à votre table, vous devrez donc y prêter beaucoup d'attention. Si la table dans son ensemble est large et agressive, il y a peut-être un ou deux bons joueurs serrés agressifs. Mais, quelle que soit la table et quels que soient vos adversaires, vous devrez rester concentré sur la texture de la table et le jeu de chacun de vos adversaires. Les bons joueurs adaptent constamment leur jeu en fonction de la texture de la table et de leurs adversaires. Les mauvais ne savent pas le faire. Cela étant dit, examinons de plus près les différents styles de jeu.

LES JOUEURS LARGES AGRESSIFS

Ce sont des joueurs qui aiment l'action. Ils vont suivre, voire relancer, avec des mains marginales dans n'importe quelle position. Rassemblez quelques joueurs adeptes de ce style de jeu autour d'une table et vous pourrez voir les jetons voler. Vous assisterez à un flux continu de relances et de surrelances avant le flop qui n'empêcheront d'ailleurs pas ces joueurs d'aller voir le flop. Vous trouverez ce genre de joueurs le plus souvent aux tables à faibles limites, que bon nombre de joueurs inexpérimentés aiment fréquenter. Bien sûr, ces joueurs, dans leur grande majorité, recherchent plus l'action que le profit. Vous serez parfois également surpris de trouver ce genre de joueurs à des limites plus élevées. Donc, quel que soit votre niveau d'expérience, vous allez devoir apprendre à jouer contre ce style de joueurs.

Avant tout, ne succombez pas à la tentation de les imiter. Le style large agressif peut se révéler payant à court terme mais, à long terme, vous serez perdant. Lorsque vous êtes à une table composée principalement de ce type de joueurs, vous devrez vous montrer plus sélectif quant à votre choix des mains de départ. Les mains à tirage perdent de leur intérêt parce qu'il vous sera difficile de toucher votre tirage à un prix acceptable. Si vous savez que vous allez subir plusieurs relances et surrelances avant le flop, vous y réfléchirez peut-être à deux fois avant d'engager vos jetons dans le pot. Même si vous pensez voir le flop pour un prix raisonnable, un bon flop peut vous coûter très cher. Par exemple, imaginons que vous ayez 6-5 de même couleur en position de *cutoff*[1]. Lorsque c'est votre tour de parler, il ne vous en coûtera "que" trois fois le montant de la big blind pour aller voir le flop. Le prix étant relativement bas pour ce genre de partie, vous avez envie de suivre et, de fait, vous allez voir le flop. Le flop affiche 9-7-4 avec aucune carte de votre couleur. À première vue, cela semble un bon flop pour vous. Vous avez un tirage quinte par les deux bouts et un tirage couleur backdoor. Un examen plus approfondi vous montre à quel point ce flop peut se révéler dangereux pour vous dans ce genre de partie.

Primo, vous n'avez rien. Secundo, vous avez une possibilité de tirage mais, vu le style de jeu de la table, il va être plutôt cher. Tertio, si vous touchez un 8 pour faire votre quinte, vous courez le risque d'être battu par un adversaire qui a V-10. Donc, même si ce flop vous paraît intéressant pour vos 6-5 de même couleur, vous n'avez peut-être pas intérêt à chercher votre tirage parce que cela peut vous coûter une bonne partie de votre tapis pour aller voir le turn. Vous n'avez pas intérêt à tenter un semi-bluff puisque vos adversaires sont susceptibles de vous suivre, voire de vous relancer. En fait, le bluff fonctionne rarement face à des joueurs larges agressifs. Je vous conseille plutôt de faire des mises de valorisation avec vos mains fortes.

Face à des joueurs larges agressifs, vous avez intérêt à attendre de toucher de bonnes mains comme des paires intermédiaires ou des top paires ou même des cartes hautes. Par exemple, imaginons que vous

1 Joueur assis à la droite du bouton (NdT).

avez R-D de même couleur et que le flop affiche 9-7-4 avec deux cartes de votre couleur. Là, vous êtes en meilleure position pour jouer après le flop. Vous avez deux cartes supérieures et un tirage couleur. Si vous touchez quelque chose, vous devriez avoir la meilleure main dans cette partie large.

Face à des joueurs larges agressifs, vous ne devrez pas essayer de piéger vos adversaires avec des petites paires ou des petits connecteurs assortis. Et, surtout, n'essayez pas de masquer la valeur de vos grosses mains. Puisque vous avez de bonnes chances d'avoir de l'action, jouez vos grosses mains en faisant des mises de valorisation et couchez vos petites mains à tirage.

Face à des joueurs larges agressifs, votre tapis devrait connaître de plus grandes fluctuations parce que les pots moyens seront plus importants. Si cela vous fait peur, choisissez une partie plus serrée. Si cela ne vous décourage pas, gardez à l'esprit que vous n'avez besoin de gagner que quelques-uns de ces gros pots pour maximiser vos gains et, surtout, vous devez éviter de jouer vos mains marginales ou faibles.

Enfin, face à des joueurs larges agressifs, essayez d'avoir l'avantage de position. S'il y a un maniaque à la table et qu'un siège se libère sur sa gauche, changez de place. Il faut que vous ayez ce genre de joueur à votre droite.

Les joueurs larges passifs

Ce sont les joueurs les plus faibles. Ils jouent presque toutes les mains mais jamais de façon agressive. Ils comptent avant tout sur leurs cartes et la chance pour remporter le pot à leur place. Ils vont donc suivre beaucoup de mises en étant battus et ils ne gagneront pas beaucoup d'argent avec leurs grosses mains. Comme vous l'avez deviné, ce style de jeu ne rapporte pas grand-chose dans une session de poker, surtout s'il y a à la table des joueurs expérimentés qui attendent le bon moment pour fondre sur leur proie.

Comment faut-il jouer contre des joueurs serrés passifs et maximiser vos gains ? Dans ce contexte, les mains à tirage voient leur potentiel augmenter. Les petits connecteurs assortis comme 6-5 ont plus de valeur parce que vous pouvez essayer de toucher vos tirages à moindre coût. Au contraire, les grosses mains perdent un peu de leur valeur. Cela ne veut pas dire que vous deviez jeter vos paires d'as avant le flop. Mais vous devez réduire le nombre d'adversaires. Si vous avez une paire d'as face à quatre adversaires et que le flop affiche quelque chose comme D-10-8 (avec deux cœurs), vous êtes probablement en danger.

En No Limit, deux stratégies sont possibles. Si vous avez une main à tirage, faites un limp in pour voir le flop à bon marché contre un grand nombre d'adversaires. Si vous avez une grosse paire, relancez pour aller voir le flop en tête à tête. En Limit, il vous sera plus difficile de faire fuir des joueurs larges passifs avec une seule relance. Vous devrez, là encore, jouer vos grosses mains mais être prêt à les jeter si le flop ne vous inspire pas. Une paire a peu de chances de tenir face à quatre adversaires.

Là encore, comme face à des joueurs larges agressifs, les bluffs ont peu de chances de fonctionner. Il y a un vieil adage en poker qui dit qu'il est impossible de bluffer un pigeon. Si vous jouez contre des joueurs susceptibles de vous payer avec n'importe quel type de main, attendez d'avoir une main gagnante et laissez-les suivre jusqu'à l'abattage.

Les joueurs serrés passifs

Un joueur serré passif est un joueur qui ne joue que des mains fortes mais sans faire preuve d'agressivité. C'est l'adversaire idéal parce qu'il est

facile à lire. Vous saurez quand il a une main puisque, si ce n'était pas le cas, il l'aurait déjà jetée. Comme la plupart du temps ils n'auront rien, vous pourrez les faire fuir et ramasser le pot. Contre ce style de joueur, votre objectif sera de remporter beaucoup de petits pots et d'éviter d'en perdre de gros. S'ils vous suivent, pas de doute, ils ont une bonne main.

Adopter un style agressif et bluffer seront deux stratégies très efficaces contre ce style de joueurs. Lorsque vous jouez de façon agressive contre un adversaire serré passif, deux choses peuvent se produire. S'il n'a rien, vous allez le faire fuir et ramasser le pot. S'il a quelque chose, il vous suivra (et peut-être même vous relancera), auquel cas vous bénéficiez d'une information de premier choix. Vous savez à présent qu'il a une main et vous pouvez sortir les freins si vous n'avez pas une grosse main.

Les joueurs serrés agressifs

Ce sont des adversaires redoutables. Ils ne cherchent pas à faire voler leurs jetons pour le simple plaisir de le faire. Ils ne vous suivront pas avec des poubelles. Ils ne gaspilleront pas leurs jetons pour chercher des tirages lorsqu'ils ne bénéficient pas de la cote pour le faire. Lorsqu'ils entrent dans un pot, il est très difficile de les en éjecter. Ils joueront de façon agressive jusqu'au moment où ils penseront être battus. Ils feront des bluffs stratégiques et essaieront de vous piéger lorsqu'ils en auront l'occasion. Bref, ces joueurs sont très loin d'être de l'argent mort !

Lorsque vous jouez contre ce style de joueurs, vous avez deux options. Vous pouvez chercher une table plus rentable ou tenter de les dominer. Puisque vous avez de grandes chances de rencontrer ce style de joueurs à la plupart des tables, voyons comment procéder contre eux.

Tous les joueurs serrés ne sont pas taillés dans le même moule. Certains joueront la règle. En d'autres termes, ils n'entreront dans le pot qu'avec une grosse main et se coucheront lorsque leur main ne s'améliorera pas et qu'ils rencontreront de la résistance. S'ils ont une bonne main, ils la joueront de façon agressive, en misant et en relançant (ou effectueront même un check-raise) chaque fois qu'ils en auront l'occasion. Même s'ils ont un jeu solide, ils sont très faciles à lire et peuvent être aisément battus.

D'autres joueurs serrés agressifs se montreront plus créatifs. Ils utiliseront l'avantage de position et leurs cartes pour jouer de façon agressive. Ils ne jetteront pas facilement leurs cartes, surtout s'ils sentent de la faiblesse chez leurs adversaires. Ils n'auront pas peur d'effectuer des bluffs ou des semi-bluffs ou de surrelancer lorsqu'ils mettent leur adversaire sur un bluff. Ces joueurs sont des adversaires redoutables et réclameront toute votre attention. Si vous ne parvenez pas à les lire, n'y allez pas au feeling. Il n'y a aucune honte à être bluffé. Souvenez-vous que vous gagnerez de l'argent en jetant vos cartes lorsque vous serez battu. Les bons joueurs le savent et c'est pour cette raison que ces derniers peuvent être bluffés. Si vous restez concentré contre ce type de joueurs, vous apprendrez beaucoup sur leur jeu et vous saurez ainsi quand attaquer et quand battre en retraite.

LES TABLES HYBRIDES

Même si certaines tables de poker auront une texture spécifique (par exemple, très souvent large agressive), la plupart ne seront pas aussi faciles à définir. Vous avez plus de chances de rencontrer, autour de la même table, des joueurs ayant des styles différents. Il y aura un mélange de joueurs serrés agressifs, serrés passifs, larges agressifs et larges passifs assis avec vous à la table. En plus, vous aurez un ou deux bons joueurs qui changeront constamment de vitesse et que vous aurez du mal à mettre sur un style particulier.

Même s'il est très utile de mettre vos adversaires sur un type de jeu, n'oubliez jamais que le poker est un jeu fluide. Un joueur large agressif peut serrer son jeu s'il subit un bad beat ou peut partir complètement en tilt. Un autre joueur peut s'asseoir avec l'intention de jouer serré agressif et commence en effet à jouer ainsi. Après plusieurs tours de mise sans jouer, il peut revenir à ses vieilles habitudes et se mettre à jouer beaucoup plus large. En tant que joueur de poker, vous devez définir comment joue votre adversaire en ce moment et adapter votre propre jeu en conséquence. Vous devez vous adapter à chaque adversaire et devrez souvent affronter des joueurs aux styles différents au cours de la même main. Reconnaissez les différents styles de jeu en présence et tirez-en avantage.

Par exemple, imaginons que vous allez au flop en début de position avec une paire de dames. Le flop affiche 10-9-4 avec deux cœurs. Deux joueurs doivent encore parler après vous. Le premier est un joueur large agressif alors que le second est, lui, large passif. Vous pensez avoir la meilleure main à ce stade, mais vous voulez réduire le nombre de vos adversaires puisqu'il y a des possibilités de quinte et de couleur sur le tableau. Mais vos deux adversaires jouent large, comment allez-vous réussir à les faire fuir ? Heureusement, le joueur large agressif parle juste après vous. Si vous misez, vous savez qu'il va relancer. Le joueur large passif est susceptible de suivre une mise, mais il y a de grandes chances qu'il jette ses cartes face à une mise et à une relance. Vous décidez de miser sachant que le joueur large agressif va relancer, ce qui va vous aider à faire fuir le joueur large passif.

En connaissant les habitudes de vos adversaires, vous pourrez exploiter les occasions qui ne manqueront pas de se présenter. Je me souviens d'une partie avec l'un de mes amis, Marcus, qui était un joueur large agressif. J'avais l'avantage de la position et j'attendais l'occasion de le battre lorsque la main suivante s'est présentée. Un joueur nommé Kevin a ouvert de 100 dollars en deuxième position avec une paire de dames. Environ six joueurs ont suivi, dont Marcus. J'étais au bouton avec 9-10. J'ai suivi puisque j'avais l'avantage de la position et qu'il y avait beaucoup de joueurs dans le pot. Le flop a affiché 5-8-V. J'avais un tirage quinte par le ventre. Kevin avait toujours une paire supérieure. Il a checké et un autre joueur a misé 500 dollars. Kevin a effectué un check-raise à 2 500 dollars. Tous les joueurs se sont couchés. C'était à Marcus de parler. Il a suivi. Je devais miser 2 000 dollars pour suivre. J'avais 7 000 dollars devant moi. Marcus et Kevin me couvraient tous les deux mais pas de beaucoup.

À cet instant, je savais que Kevin avait une meilleure main que la mienne. Je savais également que Kevin était un joueur serré agressif capable de coucher une main. Je savais également que Marcus était un joueur large agressif susceptible d'avoir n'importe quoi. Je suis allé à tapis. J'étais à peu près sûr que Kevin allait se coucher et j'espérais que Marcus se coucherait lui aussi. Même s'ils suivaient, j'avais encore quelques outs pour toucher ma quinte. Je ne pouvais pas voir leurs cartes mais je pensais avoir huit outs (quatre 7 et les quatre dames).

Kevin a réfléchi pendant un moment qui m'a paru interminable avant de jeter ses cartes. Marcus a suivi sans hésiter. Nous n'avons pas retourné nos cartes. Le turn et la river ont révélé un 2 et un 3. Le pot faisait plus de 17 000 dollars et aucun de nous ne voulait montrer ses cartes. Marcus a parlé le premier pour annoncer qu'il avait manqué son tirage. J'ai répondu que moi aussi. Il a retourné 6-7 lui donnant une carte haute au 7 et j'ai remporté le pot avec un 10. J'ai gagné ce pot uniquement parce que j'avais identifié la texture de la partie et le style de chacun des joueurs. Lorsqu'il s'est contenté de suivre le check-raise de Kevin, je savais que Marcus était sur un tirage. S'il avait eu un jeu fait, il aurait surrelancé Kevin. Je pensais pouvoir le faire abandonner sa main à tirage avec une relance suffisamment importante. Si j'avais eu moins d'argent, je n'aurais jamais tenté ce coup. Néanmoins, les choses pouvaient bien tourner à ce stade. Ils auraient pu jeter tous les deux leurs cartes et j'aurais remporté un pot appréciable. Un ou même les deux auraient pu suivre et, si j'avais touché mon tirage, j'aurais remporté un pot énorme. J'aurais pu également payer et perdre tous mes jetons. Même dans ce troisième scénario, imaginez le bénéfice en termes d'image à la table que j'aurais pu retirer une fois que mes adversaires m'avaient vu engager tout mon argent sur un tirage. J'aurais certainement eu beaucoup d'action par la suite… lorsque j'aurais eu de bonnes mains. En fin de compte, j'ai remporté le pot et tout le monde m'a vu aller à tapis sur un tirage.

Avoir toujours un temps d'avance

Pendant que vous essaierez de lire le jeu de vos adversaires, ils seront (ou du moins ils devraient l'être) en train d'en faire de même. Restez imprévisible. Soyez toujours conscient de la façon dont vos adversaires vous perçoivent. Des adversaires différents peuvent avoir, à votre sujet, des opinions différentes. Gardez un temps d'avance. S'ils vous perçoivent comme un joueur serré, utilisez leur lecture pour leur voler des pots. Si vous êtes démasqué, tant pis. Au lieu de vous inquiéter au sujet de ce que pensent vos adversaires de votre jeu, tirez toute la valeur de vos mains puisque vous savez que vos adversaires vont peut-être maintenant vous payer en vous mettant sur un vol.

Si vous restez concentré sur la texture de la partie et que vous adaptiez votre jeu lorsqu'elle se modifie, vous devriez enregistrer de bons résultats à long terme. Attention, vous n'allez pas gagner à toutes les fois ! Le poker est un jeu avec des phases dans lequel tous les joueurs ont des sessions perdantes. Analysez de façon objective pourquoi vous perdez. Si vous traversez une période de malchance et avez une bonne lecture de vos adversaires, continuez de jouer. Sur le long terme, la chance s'équilibre et le talent fait la différence. Si, au contraire, vos adversaires jouent mieux que vous, c'est le moment de quitter la table. Les autres joueurs semblent-ils impatients d'en découdre avec vous ? Est-ce que toutes vos tentatives de bluff rencontrent de la résistance ? Est-ce que vos adversaires jouent de façon plus agressive contre vous que contre les autres joueurs ? Répondez honnêtement à ces questions.

N'oubliez pas que le meilleur moyen de gagner de l'argent est de jeter vos cartes. Eh bien, il existe un corollaire à cette règle. Si vous êtes dominé, levez-vous. Notez que je n'ai pas dit si vous perdez, levez-vous. La différence peut paraître subtile mais elle est d'importance. Si vous perdez mais que vous soyez convaincu de bien jouer et de pouvoir dominer la table, vous devez continuer de jouer. En revanche, si vous êtes dominé, quittez la table. Rejoignez une autre table ou faites une pause. Trop souvent, certains joueurs aggravent leurs erreurs en restant dans une partie perdante. Ils ne veulent pas quitter la table avant d'avoir récupéré leur argent. Si vous perdez parce que vous êtes dominé, alors, plus longtemps vous jouerez, plus vous perdrez d'argent. Inversement, certains joueurs commettent la même erreur lorsqu'ils gagnent. Ils gagnent une jolie somme et veulent quitter la table avec leurs gains. Si vous gagnez de l'argent parce que vous jouez mieux que vos adversaires, alors, vous devez continuer de jouer jusqu'à ce que les premiers signes de fatigue fassent leur apparition. Vous avez un avantage à cette table. Vous avez une image favorable à la table et vos adversaires vous craignent certainement. C'est une situation que vous voulez exploiter.

Lorsque vous choisissez une partie, la texture de la partie est un élément important. Identifiez votre style de jeu et choisissez le style de partie qui vous convient le mieux. Personnellement, je préfère être l'agresseur à la table. Je ne veux pas me retrouver à une table remplie de joueurs ultra-agressifs parce que cela neutralise mon agressivité. Choisissez un jeu qui vous permet de tirer la quintessence de vos points forts.

Chapitre 14

Le poker en ligne

Internet permet aux joueurs d'emmagasiner de l'expérience en très peu de temps. Jouer sur Internet peut également vous permettre d'améliorer certains aspects de votre jeu. Le poker est à la fois un art et une science. Mais, attention, le No Limit Hold'Em demande plus de finesse et s'apparente plus à un art que le Limit Hold'Em ! Si vous souhaitez jouer contre moi, vous pourrez me trouver à la table "MagicAntonio" sur Ultimatebet.com. Avant de vous connecter, cependant, étudions quelques-uns des aspects les plus "intéressants" du jeu en ligne.

Potasser ses maths

Le poker en ligne se rapproche le plus de la théorie des jeux que n'importe quelle autre forme. Les mathématiques jouent un rôle important et la patience se révèle être une grande vertu. Puisque vous ne pourrez pas repérer de vrais tells chez vos adversaires, vous devrez jouer de façon plus prudente. Prenez vos décisions en fonction de la qualité de vos mains de départ et adoptez un style de jeu plus sérieux. Il est plus difficile de manipuler un adversaire quand vous ne pouvez pas le regarder dans les yeux. Ne pas voir vos adversaires ne signifie pas que vous ne puissiez pas lire vos adversaires. Les habitudes de mise restent l'un des meilleurs tells au poker, sinon le meilleur (à une table comme en ligne). Analysez comment vos adversaires ont l'habitude de miser sur certaines mains, et cela bien sûr dans différents contextes. Appliquez-vous à lire vos adversaires. Ne jouez que les bonnes mains et calculez vos cotes. Concentrez-vous sur les bases du jeu et travaillez "vos gammes". Quand vous entrerez dans une salle de jeu, vous aurez ainsi une base solide sur laquelle vous pourrez vous appuyer.

La position est cruciale

Comme nous l'avons déjà vu, le Texas Hold'Em est un jeu de position. Si vous avez la position, vous bénéficiez d'un avantage important. La position est même encore plus importante sur Internet parce que c'est le seul vrai avantage dont vous bénéficiez. N'oubliez jamais cette phrase. La position est votre seul avantage. Je fais très attention à ne pas jouer quand je n'ai pas l'avantage de la position.

Ne pas tilter

Lorsque vous jouez dans une salle de jeu ou un casino, vous devez manipuler et toucher vos jetons pour les mettre dans le pot. Vous les voyez, vous les touchez et vous les déposez. Vous avez donc la sensation de mettre de l'argent dans le pot. Lorsque vous jouez en ligne, vous cliquez sur une souris pour mettre des cyberjetons dans le pot. Ces jetons n'ont pas moins de valeur que ceux utilisés dans les salles de jeu ou les casinos. Ne l'oubliez jamais ! Vous ne devez pas jouer des mains que vous savez être injouables.

Le jeu en ligne est beaucoup plus rapide que le jeu dans une salle de jeu ou un casino parce que la donne est automatique. Il n'y a pas besoin de battre les cartes parce que le programme informatique est capable de générer un paquet de cartes aléatoirement. Vous verrez donc plus de mains en une heure. Cela veut dire plus de bonnes mains, plus de mauvaises mains et plus de *suck-out* et plus de bad beats. Même les joueurs les plus expérimentés peuvent devenir frustrés et partir en tilt. Si on ajoute à cela la facilité de déposer les jetons dans le pot d'un simple clic de souris, les choses peuvent se compliquer très vite. Gardez toujours à l'esprit le conseil suivant : soyez patient et discipliné.

Rester concentré

Même si le jeu en ligne est plus rapide que le jeu en salle ou en casino, il a tendance à devenir plus ennuyeux. Il n'y a aucun stimulus visuel. Vous ne pouvez pas observer toutes les petites manies de vos adversaires. Maintenant, ajoutez-y le fait que vous jouez dans le confort de votre foyer avec une multitude de distractions et vous constaterez qu'il est très facile de perdre votre concentration. Si vous regardez le match de basket à la télé tout en discutant au téléphone et en jouant

avec les gosses, il sera difficile de se concentrer sur la table de poker à l'écran de l'ordinateur.

Lorsque vous jouez en ligne, mettez-y le même degré de concentration et d'attention que vous accorderiez à une partie live. Évitez de faire plusieurs choses en même temps. De nombreux joueurs en ligne jouent en même temps sur plusieurs tables. Si vous débutez, je vous déconseille cette pratique. En revanche, une fois que vous aurez emmagasiné de l'expérience, vous pourrez essayer de jouer à plusieurs tables en même temps tant que cela n'affecte pas votre concentration générale. La plupart des sites vous permettent de présélectionner vos commandes avant que ce soit votre tour de parler, ce qui vous permet de jongler entre plusieurs tables. Je vous déconseille de le faire parce que, en agissant ainsi, vous donnez un signe. Par exemple, si vous marquez le bouton *check/fold* lorsque vous ratez le flop et que vos adversaires qui doivent parler avant vous checkent, ils sauront grâce à la vitesse de votre check que vous aviez sélectionné ce bouton. Lorsque le turn améliore votre main et que vous misez, vos adversaires sauront que vous n'aviez rien après le flop parce que vous vouliez jeter vos cartes.

PRENDRE DES NOTES

Il est très facile de brancher le pilote automatique, de se concentrer uniquement sur vos cartes et de ne pas être attentif à ce qui se passe dans les mains que vous ne jouez pas. Pour éviter cela, je vous conseille de prendre des notes. En fait, la prise de note est un élément important du jeu en ligne. Puisque vous ne pouvez pas vous rappeler le visage de tous vos adversaires, vous devrez conserver méticuleusement les informations que vous avez récoltées sur vos adversaires. Prenez un cahier et conservez des informations sur tous les autres joueurs. C'est l'attitude d'un joueur qui gagne de l'argent.

Si vous jouez régulièrement sur le même site, aux mêmes limites, à peu près aux mêmes heures, vous allez sûrement affronter les mêmes joueurs session après session. Prenez des notes sur les habitudes et le style de chacun des joueurs. Vous verrez rapidement que ces informations n'ont pas de prix. Je connais, parmi certains des joueurs en ligne qui ont beaucoup de succès, des joueurs qui conservent des cahiers très épais sur leurs adversaires.

La plupart des sites proposent un outil très pratique qui permet d'extraire les historiques des mains. Vous pouvez extraire les mains auxquelles vous avez participé même si vous avez jeté vos cartes. En outre, pour toutes les mains qui sont allées jusqu'à la river, vous pourrez ainsi connaître les cartes de chacun des joueurs qui sont allés à l'abattage, même s'ils ont jeté leurs cartes à la défausse. Par exemple, imaginons que vous avez jeté vos cartes avant le flop et que vous avez assisté à une main très intéressante entre deux adversaires. La main va à l'abattage. Le vainqueur est payé. Une fois qu'il a montré sa main, le perdant jette ses cartes à la défausse. Vous avez la possibilité d'extraire l'historique de la main pour connaître les cartes que le perdant avait.

Les historiques des mains vous permettent aussi d'analyser votre propre jeu. Dans le feu de l'action, il est difficile de prendre des notes et de se souvenir de toutes les mises effectuées. Utilisez donc les historiques des mains, prenez de bonnes notes et vous gagnerez de l'argent en jouant sur Internet.

The Magician, the Unabomber et le Mec qui ne gagne jamais

Par Rob Fulop

J'habite à Las Vegas. Je suis venu à San Francisco pour rendre une visite de quatre jours à mes amis Antonio Esfandiari et Phil "the Unabomber" Laak. Nous traînions souvent ensemble lorsque nous étions encore des joueurs de poker anonymes et que nos parties bihebdomadaires en No Limit Hold'Em à 10-20 dollars à San Francisco avaient le parfum du Big Game. Il y a moins de deux ans, j'ai prêté quelques milliers de dollars à Antonio pour qu'il puisse payer son droit d'entrée à son premier tournoi de WPT au "Gold Rush". Après sa performance, qui a eu les honneurs de la télévision, performance pendant laquelle il a torturé Phil Hellmuth..., les choses sont allées de mieux en mieux pour Kid 44 (le pseudo d'Antonio, le "44" provient des 44 000 dollars qu'il a gagnés en terminant à la troisième place au Gold Rush). Depuis, il a remporté le tournoi du WPT de Commerce et un bracelet aux WSOP au tournoi de Pot Limit Hold'Em, faisant main basse sur plus de 1,5 million de dollars en prix.

Il est 13 h 30, nous sommes samedi à Las Vegas.

Antonio est assis sur le divan dans le salon de son nouvel appartement, "gracieusement offert" par le World Poker Tour. Il ne porte qu'un caleçon. Il a une bouteille de jus de pomme dans une main et une souris d'ordinateur dans l'autre. Cela ne fait que 15 minutes qu'il est réveillé et, pourtant, il est déjà en train de jouer une partie à limites élevées en ligne. Il lève la tête de son portable posé sur ses genoux, ses yeux haut placés s'éclairent pour m'accueillir avec son célèbre sourire "ravi de te voir".

"Docteur Philips, à quoi dois-je le plaisir de ta visite !"

Antonio fait exprès d'écorcher mon nom depuis notre première rencontre il y a quelques années. Même s'il n'est jamais agréable d'entendre écorcher son nom, je ne pouvais pas m'empêcher de me sentir le bienvenu.

Mi-Aladin, mi-Bugs Bunny, Antonio est un Iranien grand, sombre, séduisant, à la fois attachant et agaçant. Il a la capacité de faire croire à tous ceux qu'il

rencontre qu'ils sont ses meilleurs amis. Même si vous savez qu'il vous sert un paquet de conneries, cela vous est égal. C'est là que réside tout son charme. Il est habile, parfois impudent, mais il a en même temps un charme indéniable.
L'accueil chaleureux d'Antonio est rapidement interrompu par un mouvement sur l'écran. Son regard se replonge sur l'écran de son portable, qu'il fixe intensément, les deux yeux rivés sur l'écran. Il appelle les deux autres personnes présentes dans la pièce, qui sont, elles aussi, plongées dans leur propre partie en ligne.
"Hey, les gars... qu'est-ce que je dois faire, là ? Mon Dieu, laisse-moi avoir Spirit Rock aujourd'hui... juste une fois !"
Je regarde par-dessus l'épaule d'Antonio. Bien sûr, "Kid 44" est en train de jouer dans une partie à trois de 25-50 dollars avec "Spirit Rock", qui est sans doute le meilleur joueur en ligne de No Limit Hold'Em au monde. Quelques secondes auparavant, Antonio a suivi la relance de 150 dollars au bouton de Spirit en blind du milieu avec 6?5?. Il a checké le flop de 2-4-D avec deux piques et il se demande quoi faire après la relance de 350 dollars de Spirit. Phil et Dave posent leur portable et viennent se placer autour d'Antonio. Ils en profitent pour se lancer dans une discussion à bâtons rompus sur ce que doit faire Antonio : aller à tapis avec ses 3 125 dollars ou seulement suivre la mise sur le flop de 350 dollars de Spirit Rock.
"Suis, conseille Dave, un professionnel chevronné, et le plus prudent des trois. Si tu rates, tu peux encore remporter le pot de toute façon. Spirit n'a probablement rien ; en règle générale, il n'a rien.
Phil Laak fixe l'écran en avalant les restes de la moitié d'un doughnut à la confiture qui devait être sur la table depuis au moins deux jours. La première fois que vous rencontrez Phil, vous ne pouvez pas vous empêcher de penser qu'il a tout du parfait imbécile avec son sweat-shirt taché, ses lunettes d'intello et ses chaussettes dépareillées. Phil est devenu un maître de l'attitude “il me manque une case”. Mais, à la différence d'Antonio, qui est beaucoup plus "je suis celui que vous voyez", Phil a trois couches. En surface, il fait tout pour passer pour le parfait imbécile : désorganisé, débraillé ; si Gilligan jouait au poker, ce serait Phil. Pourtant, même après un moment de réflexion où vous vous dites que son apparente folie a été savamment mise au point et qu'en

dessous de ses cheveux gras il y a un cerveau en constante ébullition, peut-être même celui d'un génie, vous finissez quand même, une fois que vous le connaissez mieux, par admettre qu'au fond Phil est vraiment un allumé.

Un filet de confiture dégoulinant au coin de la bouche, the Unabomber nous livre son analyse, qui, comme vous pouvez vous en douter, se trouve aux antipodes de l'analyse prudente de Dave.

"Putain ! Comment tu peux te contenter de suivre avec un aussi bon tirage ? Envoie-lui le tapis ! Écrase-le ! Qu'est-ce qu'il peut avoir, de toute façon ? Comment veux-tu qu'il suive ? Et, s'il suit... eh bien... vas-y ! Tu as 50 % de chances contre une paire supérieure."

Le cerveau d'Antonio est en ébullition. Il se demande quoi faire avec son bon tirage mais il prend quand même 5 secondes sur les 10 précieuses secondes qu'il lui reste pour se décider à répondre à Phil : "Phil, j'ai pas ta veine. La chance ne se pointe pas chaque fois que j'ai besoin d'elle comme elle le fait pour toi."

Phil est en train d'essuyer le filet de confiture qui dégouline de sa bouche avec la main avant de la frotter sur son caleçon tout en essayant d'ignorer les insultes d'Antonio envers ses talents de joueur de poker.

Il reste 5 secondes à Antonio pour se décider. Suivre ou relancer ? Tic tac, tic tac, tic tac !

Puisque je suis le mec qui ne gagne jamais, je ne donne jamais mon avis et, d'ailleurs, on ne me le demande jamais. Six mois auparavant, j'étais le joueur de No Limit Hold'Em capable de semer la terreur à n'importe quelle table de No Limit Hold'Em ; mais... c'était il y a six mois ! Quinze bad beats de suite à tapis et une longue série de brelans manqués plus tard, je suis devenu le mec qui ne gagne jamais. Honnêtement, je me demande d'une part pourquoi Antonio joue contre Spirit Rock. Je suis certain qu'il y a des parties moins risquées. Et d'autre part pourquoi suivre une relance du bouton hors de position avec un 6.

Avec un léger soupir, Antonio fait glisser le pointeur le long de la barre de mise vers le coin droit et clique sur le bouton mise, misant son tapis de 3 125 dollars. C'est maintenant au tour de Spirit Rock de se torturer les méninges. Les secondes durent des heures. Personne n'ose émettre le moindre son, nous avons tous les quatre les yeux rivés sur l'écran. Antonio rompt le silence en demandant à voix haute : "Est-ce que je vais regagner un jour ?" Trois secondes plus tard,

Spirit Rock se couche et les jetons sont poussés vers la chaise matérialisant Antonio. Phil et Dave retournent à leur partie. Les affaires reprennent, comme d'habitude.

Je jette un rapide coup d'œil au nouvel appartement d'Antonio : des tapis blancs faisant toute la largeur de la pièce, des murs blancs. Pas de plantes ni de photos. Le téléviseur écran plat surdimensionné domine le salon. Il y a également quelques douzaines de DVD, une DVDthèque empreinte de virilité, des films d'aventure, des films d'action, des polars ou des films ayant un rapport, de près ou de loin, avec le poker. Des jetons du Bellagio, de 10 à 10 000 dollars, sont éparpillés sur la table basse, servant de dessous de verre. Une liasse de billets de 100 dollars entourée d'un large élastique trône sur le canapé, quelqu'un a dû la déposer là et l'oublier un ou deux jours auparavant. Bienvenue dans le monde merveilleux du poker !

J'entre dans la cuisine, je passe devant deux boîtes à moitié vides de nourriture chinoise sur le plan de travail de la cuisine à côté de restes de barbecue de la veille. Toutes les assiettes et tous les plats de l'appartement sont empilés dans l'évier, attendant d'être nettoyés. Des bouteilles d'alcool sont posées sur le comptoir en face de la piscine et du Jacuzzi. La plupart des bouteilles sont à moitié vides (ou à moitié pleines selon votre état d'esprit du moment). *A priori*, la fête bat son plein... en permanence.

Quelques heures plus tard, je suis prêt à aller jouer au poker. Je vais commencer petit, peut-être une partie de No Limit Hold'Em à 3-5 dollars au Sands. Dave est toujours en train de jouer sur Internet. Antonio est en train de rappeler plusieurs amis, son agent et plusieurs agents de poker. Même si c'est très agréable de côtoyer Antonio, j'ai souvent l'impression d'être coincé entre deux conversations téléphoniques.

Je dois déposer Phil au Bellagio, où il a laissé sa voiture il y a quelques nuits. Son coupé Cadillac Deville de 68 (convertible personnalisé, toit enlevé) a fait son dernier tour de roue et est mort entre les mains d'un valet de parking du Bellagio. Il n'a pas prévu de le faire réparer dans l'immédiat ni de le faire remorquer. Il devrait finir par s'en occuper.

Pendant que nous enfilons nos chaussures, Phil remarque un paquet ouvert devant la porte. C'est un sac de voyage cadeau portant le logo du Light, le

nightclub du Bellagio. Antonio et son gang de "Rocks n' Rings" sont des habitués de ce club très sélect. Dès qu'ils arrivent, quelle que soit la longueur de la file d'attente, ils sont traités comme des VIP, passant devant les hordes de clients qui attendent d'emprunter l'escalator et sont escortés vers une table entourée d'un cordon pourpre avec un panneau "réservé". Phil ne peut s'empêcher de taquiner Antonio à propos du sac : "Hey, Rob, si tu claques 100 000 dollars en une soirée, le Light t'offre ce magnifique sac de voyage !"

Plus tard dans la soirée, nous nous rendons tous les quatre au Mandala Bay pour dîner. La conversation débute avec les habituelles histoires de poker, de bad beats et de tapis perdus. Trois bouteilles de vin plus tard, après un désaccord sur la question du meilleur spectacle de strip-tease de Las Vegas, nous passons aux complexités de l'âme humaine. Nous parlons d'un de nos amis qui est sur le point d'emménager avec une croupière. Les joueurs de poker ont l'habitude d'émailler les conversations de termes de poker. Par exemple, lorsqu'une femme demande à un homme de s'engager on dit qu'elle bluffe. Si quelqu'un ne voit pas quelqu'un en ce moment on dit qu'il est sur le rail, le terme utilisé pour désigner les joueurs qui ne sont pas en train de jouer.

Nous avons pour habitude de jouer pour savoir qui va payer la note. Antonio sort un jeu de sa poche qu'il mélange sous la table et nous en prenons chacun une. Celui qui tire la plus petite carte paie la note. Comme j'ai souvent perdu lors de nos dernières sorties, je refuse de prendre part à ce petit jeu, mais ils ne veulent rien entendre. Le billet de 100 dollars que je sors pour régler ma part est remis de force dans ma poche. Ils insistent pour que je prenne une carte.

"D'accord, si c'est moi qui mélange les cartes."

Ma demande de mélanger les cartes est accueillie par un silence étonné parce que, même si Antonio est un magicien semi-professionnel et un expert en manipulation de cartes, c'est toujours lui qui mélange les cartes.

"Mais, Rob, c'est toujours Antonio qui mélange les cartes."

"Je m'en fiche. Si vous voulez que je joue, vous devez accepter mes conditions !"

Antonio hausse les épaules et extrait trois as et le deux de trèfle et me les tend. Je prends les quatre cartes sous la table, je les mélange et les leur présente en éventail. Dave choisit en premier, Phil en deuxième, Antonio en troisième, me laissant la dernière carte. Je la retourne pour apercevoir, évidemment, le deux de trèfle. La note est encore pour moi.

J'ai beau m'être habitué à être le mec qui ne gagne jamais, je reconnais que cela fait un peu beaucoup.

Le lendemain, Antonio a été invité à participer à un "tournoi de poker sur invitation" pour la télévision. La chaîne Game Show est le sponsor d'un tournoi "homme contre femme" où six joueurs vont jouer ensemble contre six joueuses. J'arrive à l'Union Plazza. Antonio a donné mon nom à la sécurité pour que je puisse entrer. Je suis surpris de constater qu'il n'y a pas de public. Apparemment, je suis le seul nom sur la liste des invités. On me conduit vers un emplacement derrière le studio où est enregistrée l'émission. À l'intérieur, il y a trois moniteurs qui diffusent le tournoi en direct, quelques techniciens, une présentatrice off, quelqu'un qui ressemble au producteur de l'émission et une petite table où deux gars sont assis en train de triturer un paquet de cartes.

Ne me sentant pas très à l'aise, je m'assieds à la table avec les deux autres joueurs ; ils me jettent un coup d'œil, me gratifient d'un bref salut avant de se replonger dans leur conversation. Je les ai reconnus tout de suite, je suis assis à la table de deux vainqueurs du Main Event des WSOP, Greg Raymer et Chris Moneymaker. Je ne peux pas m'empêcher d'écouter leur conversation tout en faisant semblant de regarder ce qui se passe sur l'écran.

Pour mon plus grand plaisir, Greg et Chris sont en train d'échanger des histoires de bad beats. Il ne s'agit pas de joueurs lambda, leurs histoires de bad beat sont très différentes de mes histoires de miracle sur la river et autres *runners-runners*. Les histoires de bad beat des champions tournent autour du point suivant : ils ont moins de chance qu'auparavant.

Chris se plaint en racontant comment quelques jours auparavant il a misé l'ensemble de ses jetons avant la river et a manqué son tirage couleur. Greg hoche la tête en signe de compassion, indiquant qu'il sait ce que cela veut dire d'être abandonné par les dieux du poker. Greg renchérit en lui racontant comment au cours de la même semaine il a perdu deux pots lorsqu'il avait une chance sur deux de gagner. Chris secoue la tête de façon solennelle. Je suis tenté d'intervenir : "Qu'est-ce que cela veut dire, qu'une main à pile ou face n'est plus aussi sûre qu'avant ?"

Nous sommes rapidement rejoints par un Antonio désabusé qui vient juste de se faire éjecter de sa partie. "J'ai pas été bon", dit-il à voix haute à la cantonade. Mais, en visionnant son interview où il évoque son élimination du tournoi, je ne peux pas m'empêcher d'être impressionné. Antonio est bon, très bon, parce que même si Antonio vient de perdre tous ses jetons sur un tirage quinte en essayant de toucher le full max, il a répondu aux questions avec la confiance d'un présentateur TV aguerri. Il s'est montré poli, il a parlé lentement, il a affiché de l'énergie positive, sans bégayer ni accuser le sort ou les autres joueurs. Ce n'est pas facile à faire quelques instants après avoir été éjecté d'un tournoi de poker.

Je suis toujours ravi de quitter Las Vegas après trois ou quatre jours : trop peu de sommeil, trop de Martini, pas assez d'exercice, trop de divertissement et beaucoup trop de voyages au buffet du Bellagio ont fait leur œuvre. Je vais rentrer à San Francisco avec Antonio. Nous déposons Dave à l'aéroport de Las Vegas. Dave déplore le fait qu'il ne pourra pas jouer sur Internet pendant les six prochaines heures que va durer son retour vers la côte Est, lui coûtant plusieurs milliers de dollars. Pour le réconforter, Antonio lui propose un pari imperdable. Il parie qu'il parviendra à monter à bord sans qu'on lui demande un seul titre de transport. Dave est quelque peu incrédule (moi aussi, à vrai dire), puisqu'il nous semble impossible qu'il gagne ce pari. Dave, le joueur d'action, bondit sur l'occasion. Ils tombent d'accord sur une mise de 200 dollars. Trente minutes plus tard, je suis assis dans mon siège d'un appareil de la Southwest Airlines, en train de remuer la tête. Je n'en reviens toujours pas. Bien sûr, grâce à son talent de persuasion, à sa confiance et à un brin de malice, Antonio a réussi à monter dans l'avion sans présenter aucun titre de transport. Je l'ai félicité pour sa victoire contre Dave et d'avoir gagné 200 dollars aussi rapidement.

Antonio arrête de mélanger le jeu de carte du Bicycle qu'il a toujours sur lui et soulève un sourcil épilé en me gratifiant de son sourire mi-Aladin mi-Bugs Bunny en me demandant :

"Franchement, Docteur Philips, est-ce que je prendrais un pari que je ne penserais pas gagner ? Est-ce que je parierais contre moi-même ?"

Et, aussi difficile que cela soit pour moi de l'admettre, j'ai dû concéder que je ne le ferais pas.

Rob Fulop est un concepteur de jeu vidéo qui joue au poker pour le plaisir. Cette histoire a été publiée pour la première fois dans Bluff magazine.

CHAPITRE 15

Un peu de magie

La première fois que j'ai assisté aux World Series of Poker, j'ai fait plus de tours de magie que de parties de poker. Je me souviens qu'au cours de la première pause du Main Event je suis sorti prendre l'air avec Phil Laak. Huck Seed, Phil Hellmuth et Daniel Negreanu en avaient fait de même. Je ne connaissais pas Huck ni Daniel à l'époque. Cela ne m'a pas empêché de faire devant eux un petit tour de magie, qui n'en était pas un petit, d'ailleurs. Il s'agissait d'un tour que je n'avais effectué qu'une quinzaine de fois dans ma vie parce qu'il est très difficile à réaliser – encore plus devant trois grands joueurs de poker à qui rien n'échappe. J'ai donc sorti un paquet de cartes et l'ai mis dans la main de Huck en lui demandant de choisir une carte à voix haute. Il a choisi le trois de trèfle. Nous nous tenions à un peu près un mètre de la façade du Horseshoe, à côté de l'entrée située sur Freemont Street. Je n'ai pas prononcé un mot. J'ai saisi Huck par la main et l'ai conduit vers l'entrée du Horseshoe. En nous rapprochant de la porte, Huck a été estomaqué de voir le trois de trèfle collé sur la porte, à l'intérieur, bien sûr. Je n'oublierai jamais leur visage, surtout celui de Huck. Huck est une des personnes les plus intelligentes que je connaisse et il était bluffé parce qu'il savait que personne n'avait eu le temps de placer la carte à cet endroit aussi rapidement. Il a vérifié que je n'avais pas collé cinquante-deux cartes autour du bâtiment. Comme il n'en a trouvé aucune, il s'est tourné vers moi et m'a dit :

"Antonio, tu m'as eu. Tu m'as vraiment eu. J'ai vu pas mal de tours de carte dans ma vie, mais celui-là les bat tous."

Cela pour vous montrer que même les meilleurs joueurs de poker peuvent être bluffés.

Deux ans plus tard, je participai de nouveau aux World Series of Poker, mais j'étais à présent plus connu comme joueur de poker. Mais, bien sûr, tout le monde connaissait mon passé de magicien. Le Big Game [1] se tenait au Horseshoe. C'était une partie de cash game, pas un tournoi. Je passais par là et Doyle Brunson m'a demandé si je pouvais leur faire un tour ou deux. Autour de la table se tenaient Doyle, Chip Reese, Bobby Baldwin, Barry Greenstein et Chau Giang.

J'ai sorti un jeu de carte neuf et l'ai tendu à Bobby Baldwin en lui demandant de le tenir. J'ai pris le jeu avec lequel ils étaient en train de jouer, j'ai étalé les cartes et j'ai demandé à Bobby de choisir une carte et de la montrer à ses amis, ce qu'il a fait. N'oubliez pas que Bobby a choisi la carte dans le paquet avec lequel ils étaient en train de jouer. Je lui ai

1 Plus grosse partie de cash game de Las Vegas qui se tient au Bellagio dans la Bobby's Room, dans laquelle s'affrontent les meilleurs joueurs de la planète (NdT).

demandé de replacer la carte dans le paquet et de les mélanger. Il s'est exécuté. Je lui ai demandé si j'avais un instant touché le paquet neuf que je lui avais donné. Bobby a répondu par la négative. Je lui ai demandé de regarder attentivement pendant que j'ouvrais le paquet neuf. J'ai sorti les cartes et les ai étalées sur la table. Lorsque les cartes ont été étalées, une seule était face découverte, le deux de cœur, la carte, comme vous l'avez sûrement déjà deviné, que Bobby avait choisie. Pour couronner le tout, non seulement il s'agissait de la seule carte face apparente, mais, en plus, c'était la seule carte dont le dos était bleu, les autres avaient un dos rouge. Tous les joueurs présents étaient ébahis.

Après cela, j'étais en confiance et j'en ai profité pour subtiliser la montre de Chip, ce qui n'était pas un mince exploit. Je la lui ai, bien sûr, rendue par la suite. Tout le monde a été adorable avec moi et cela se passait bien avant que j'aie remporté la moindre victoire. Cela vous prouve que ce ne sont pas seulement des grands joueurs, ce sont aussi des gens bien.

À la fête de Phil Hellmuth, j'avais fait un tour bluffant à Mike Sexton. Il s'agissait d'un tour extrêmement difficile, ce n'est donc pas un tour que j'effectue très souvent. Mais c'était la première fois que je me produisais devant autant de joueurs de poker de haut niveau et je voulais vraiment les impressionner. Il y avait environ vingt joueurs de poker autour de nous lorsque j'ai demandé à Mike Sexton de choisir une carte. Mike a montré la carte à l'assemblée. N'oubliez pas qu'il ne s'agit pas d'observateurs ordinaires. Les joueurs de poker s'enorgueillissent de tout voir, j'avais donc vingt paires d'yeux fixées sur moi à l'affût de mon moindre mouvement.

J'ai alors demandé à Mike de replacer la carte dans le paquet à l'endroit de son choix. J'ai pris le paquet, je l'ai retourné et je l'ai étalé sur la table. Il manquait une carte. Oui, vous avez deviné, c'était la carte que Mike avait choisie. Voilà l'astuce. J'ai demandé à Mike de fouiller dans ses poches à la recherche de la carte manquante. Mike a répondu que c'était inutile puisqu'elle ne pouvait s'y trouver. J'ai vraiment dû convaincre Mike de fouiller dans ses poches. Il a fini par s'exécuter. Je crois que je n'oublierai jamais l'expression sur son visage lorsqu'il a senti la carte dans sa poche. Il l'a sortie de sa poche et, bien sûr, il s'agissait de la carte qu'il avait tirée, le cinq de trèfle.

Je lui ai demandé s'il voulait choisir une autre carte pour montrer que ce tour marchait avec n'importe quelle carte. Il a refusé. Là encore, je n'oublierai jamais son expression quand il a sorti la carte de sa poche. Tout le monde est devenu fou. C'était merveilleux. Lorsque vous jouez au poker, tous les regards sont braqués sur vous. Vous ne devez pas avoir peur de prendre des risques.

Je voudrais adresser un remerciement spécial à Layne Flack, qui m'a aidé pour ce tour. Je n'aurais jamais pu le réaliser sans son aide et, à ce jour, il n'a jamais révélé le secret de ce tour à quiconque. Rick Rios et Joey Burton méritent aussi des remerciements parce que, sans eux, je n'aurais jamais pu atteindre ce niveau.

Ce que je préfère, dans la magie, c'est le plaisir qu'elle procure aux gens. Tout le monde aime la magie. Cela les ramène en enfance. J'ai eu beaucoup de chance dans ma vie de me trouver au bon endroit, au bon moment, pour observer quelqu'un effectuer un tour de magie et pour ensuite avoir les outils pour y parvenir à mon tour. La magie est un art merveilleux. On peut dire la même chose du No Limit Hold'Em. J'adore faire des tours de magie quand mon père est dans le public. L'expression sur son visage vaut toutes récompenses. Il aime la magie encore plus que moi, et savoir que je peux, grâce à un tour, illuminer son visage me comble de joie.

Parlez comme les pros

(Gracieusement offert par Antonio et Phil "the Unabomber" Laak)

Enrichissez votre vocabulaire grâce à quelques-unes des expressions colorées utilisées par Antonio et ses pairs.

CTB (*Call to Bluff*). Suivre pour bluffer. Payer un adversaire avec l'intention de le bluffer.

CTC (*Call to Crack*). Suivre pour piéger. Payer un adversaire avec une poubelle en espérant toucher une grosse main.

FBS (*Full Blown Squeezer*). Serrure certifiée. Un joueur qui joue très serré.

Felted (sur le feutre). Lorsqu'un joueur n'a plus de jetons. Il ne reste plus rien entre le joueur et le feutre, on dit qu'il est sur le feutre ou fauché. (Phil Laak est l'auteur de ce néologisme.)

GFTG (*good for the Game*). Désigne un mauvais joueur. Un pigeon qui apporte beaucoup d'argent mort est dit bon pour le jeu.

HTS (*Hurt the Squeezer*). Faire payer la serrure !

LDP (*Lock-Down poker*). Serrer le jeu, en évitant toute créativité. Revenir aux fondamentaux et revenir en mode serré. Serre le jeu, baby !

OPTD (*Open the Door*). Ouvrir la porte. Lorsqu'un joueur effectue une mise alors qu'il n'aurait pas dû. Il a ouvert la porte à une relance qu'il ne pourra pas supporter.

POW (*payoff Wizard*). "Un bon génie". Désigne un joueur qui paye sur la river alors qu'il est battu.

SID (*Squeezer in Disguise*). Une serrure camouflée. Un joueur au jeu superserré qui projette une image de joueur plus large qu'il ne l'est réellement.

Squeezer (serrure). Un joueur qui joue extrêmement serré.

SST (*Short Stack Torture*). La torture du petit tapis.

STW (*Surfing the Wave*). Surfer sur la vague. Désigne un joueur qui est en plein rush, qui lit parfaitement la table et voit tout ce qui se passe.

Comment manipuler vos jetons comme un pro

Commencez par organiser les jetons en pile de trois. Disposez-les côte à côte. Placez votre pouce sur la gauche de la pile de gauche et votre index et votre majeur sur le bord droit de la pile de droite. Votre index doit se trouver entre les deux piles de jetons. Rapprochez les jetons vers vous avec l'index. Dans le même temps, poussez les jetons avec votre pouce et vos autres doigts. Cela vous permettra de faire glisser les jetons ensemble, et vous pourrez les faire tomber les uns après les autres pour constituer une seule pile. Une fois que vous maîtrisez ce tour avec six jetons, vous pouvez essayer avec huit jetons, dix jetons ou plus.

Bien sûr, le meilleur tour de magie que vous pouvez réaliser à une table de poker demeure la télékinésie des jetons de vos adversaires vers votre tapis, mais je crois que vous le saviez déjà !

Antonio vous répond

(Réponses aux questions posées par des joueurs sur mon site)

Cher Antonio,

Selon toi, à part bien sûr les maths, la lecture et le courage, qu'est-ce qui sépare les meilleurs joueurs de tournois de nous autres humbles joueurs qui rêvons de devenir comme eux ?

Humble amateur

Cher amateur,

Il faut que tu aimes être sous pression. Il est parfaitement normal que les gens cherchent à éviter la pression. Les meilleurs joueurs de poker ont besoin de se sentir sous pression. Il n'y a que quand ils sont éliminés que la pression disparaît. Ne t'excuse pas d'être un amateur, tous les professionnels ont commencé par être des amateurs.

Cher Antonio,

Tu es un de mes joueurs de poker préférés et je me dis que c'est à toi que je dois poser cette question. Quand est-ce que l'on sait que l'on est battu ou qu'on ne l'est pas ? Je sais que quand un joueur effectue une grosse mise il a généralement la meilleure main. Mais quand sais-tu qu'il est en train de bluffer ? Quand je le mets sur une main faible et que je suis ce que je pense être un bluff il a une main forte, et quand je mets mon adversaire sur une main forte et que je jette mes cartes il est en train de bluffer. Est-ce qu'il y a quelque chose que je devrais chercher qui pourrait m'indiquer si je suis battu ou non ? Un signe dans son comportement ? dans sa façon de miser ? Est-ce qu'il existe un moyen de deviner si le moment est propice pour un bluff ?

Merci de m'accorder quelques instants

Devin

Salut Devin,

Ta question englobe beaucoup de points, alors, ne perdons pas de temps. Le signe le plus sûr est le suivant : lorsqu'ils feignent la force, ils sont faibles et, lorsqu'ils feignent la faiblesse, ils sont généralement forts. Tu peux trouver cela dans le livre de Mike Caro sur les signes. Si tu n'as pas encore lu ce livre, dépêche-toi de te le procurer. Ensuite, lorsque tu hésites entre suivre ou jeter tes cartes, demande-toi ce que ton adversaire veut que tu fasses, et fais le contraire. Essaie. Tu verras, cela marche.

Quand le moment est-il propice à un bluff ? Chaque fois que tu penses que c'est le bon moment. Ne bluffe que contre des joueurs assez intelligents pour jeter leurs cartes. Il y a des joueurs qu'il est impossible d'éjecter d'une main, ne perds pas ton temps à essayer. Un de mes bluffs préférés a eu lieu sur un flop 8-8-3 dépareillés. Pas de quinte, pas de couleur, pas de grosses cartes… comment quelqu'un aurait-il pu avoir un bout de ce flop orphelin ? Envoie ! Adopte-le ! Les autres savent que tu es en train de bluffer mais ils ne peuvent pas suivre.

Salut Antonio,

Maintenant que tu es célèbre, les femmes doivent se jeter à tes pieds. Comment gères-tu cela ?

Merci, Alice.

Chère Alice,

Tu sais ce qu'on dit. C'est un travail ingrat mais il faut bien que quelqu'un se dévoue.

Cher Antonio,

D'après l'adage, il existe trois façons de jouer une paire de valets, les trois sont mauvaises. Qu'en penses-tu ?

Headly

Cher Headly,

Oui, il est toujours délicat de jouer une paire de valets. Si tu les joues comme une paire haute en attaquant le pot, les seules mains susceptibles de te donner de l'action sont les paires d'as, de rois ou de dames ou alors A-R, A-D, peut-être R-D, le type de main qui peut te tuer si le tableau comprend au moins une carte haute (ce qui semble toujours être le cas, d'ailleurs). Si tu la joues comme une main à tirage, tu vas te contenter de suivre pour essayer de toucher un brelan au flop, ce qui n'arrive qu'une fois sur sept et demie. Tu peux les jeter mais, franchement, tu connais quelqu'un qui le fait ?

Personnellement, j'essaie de les jouer en fonction de la table. Si mes adversaires sont plus faibles ou jouent plus large que la moyenne, je joue ma paire de valets un peu plus en douceur. Et, bien sûr, s'il y a eu une grosse relance, surrelance et que quelqu'un ait suivi avant que ce soit mon tour de parler, je les jette. La paire de valets est une bonne main mais pas aussi bonne que cela.

Cher Antonio,

J'aimerais te poser une question. Je vais bientôt participer à un tournoi féminin de No Limit Hold'Em au Harrah's, au lac Tahoe. J'ai déjà joué et gagné chez moi, à Carson City, mais je n'ai jamais joué à ce niveau. Voilà ma question. Devrais-je jouer seulement les bonnes mains ou devrais-je attaquer et jouer de façon agressive ? Tout conseil de ta part serait très apprécié. Merci.

Shady Lady

Chère Shady Lady,

Tout d'abord, ne stresse pas parce que tu vas jouer dans un gros tournoi. Tu ne dois faire aucun complexe, tes adversaires n'ont que deux mains. Ensuite, joue pour gagner. Beaucoup de joueurs qui disputent leur premier tournoi vont jouer plus serré que d'habitude et se montreront plus prudents qu'à l'accoutumée. Pourquoi ? Parce qu'ils ne veulent pas dilapider leur droit d'entrée en étant éliminé en début de tournoi. Et, tu sais quoi ? Ce n'est pas une stratégie de vainqueur. Cela s'appelle jouer pour ne pas perdre et cela se terminera par un tapis moyen et une sortie en milieu de tournoi, loin des places payantes.

Je ne suis pas en train de te conseiller de jouer de façon suicidaire dès la première main. Tu te montreras sélectif avec tes mains de départ, surtout tant que le trac ne se sera pas dissipé et que tu n'auras pas identifié le style de tes adversaires. Mais souviens-toi que, pour bien jouer, il faut combiner force, confiance, agressivité. C'est cette stratégie qui permet de gagner, et cela à tous les niveaux, à une table du World Poker Tour comme à la table de la cuisine.

Cher Antonio,

Je suis une bonne joueuse de poker et j'ai déjà participé à quelques tournois dans ma région. Je joue les bonnes mains mais j'ai été battue par des joueurs qui jouent des mains faibles et qui touchent des quintes ou des couleurs tandis que mes cartes hautes ne touchent jamais leur flop quand je suis. Est-ce que c'est la même chose dans les gros tournois en début de tournoi (avant la table finale) ? Est-ce que les joueurs ont l'habitude de jouer des mains faibles ? Cela m'exaspère et, lorsque je ne joue que les mains fortes et plutôt serré en début de tournoi, mes jetons semblent disparaître (à cause des blinds) et les joueurs qui jouent des mains faibles construisent de gros tapis. Un conseil sur ce point serait très apprécié. Merci de m'accorder quelques instants.

Jenna

Salut Jenna,

Il me semble que tu es dans la bonne direction (même si, sans t'avoir vue jouer, je me demande si tu mets assez de pression sur tes adversaires quand tu as des mains fortes) et que tu es la victime d'une petite chose appelée malchance. Écoute, les mauvais joueurs jouent les mauvaises cartes tout le temps, et, parfois, ces mauvaises cartes l'emportent. Si tu laisses cela te troubler, si tu commences à jouer comme eux, tu vas te saborder.

Dans les gros tournois, les meilleurs joueurs jouent toutes sortes de mains, mais c'est parce qu'ils savent ce qu'ils font – et, le plus souvent, ils jouent le joueur et pas du tout leurs cartes. Mais comparer les gros tournois avec les tournois à faible droit d'entrée, c'est un peu comparer les oranges et les pommes, n'est-ce pas ? Joue à ton niveau. Attaque avec tes grosses mains ! Ne t'inquiète pas si les autres suivent et te battent. Cela ne se produira que rarement.

Si tu veux imiter les pros, joue les joueurs et non pas les cartes. Quand tu sais que ton adversaire est un adepte des tirages alors qu'il ne bénéficie pas de la cote, mets-le sur un tirage et fais-lui payer le prix fort lorsqu'il ne touche pas son tirage. Même si tu as l'impression qu'il améliore sa main à chaque fois (et toi jamais), la plupart du temps, il ratera son tirage.

Cher Antonio

Je n'ai pas le courage de mes convictions. Quand j'ai une main forte ou que je bluffe, je n'ai pas de problème pour miser sur le flop, mais je deviens plus timide en matière de mise sur le turn et la river. Si mes adversaires ne se couchent pas sur le flop, je suis persuadé qu'ils ont une main forte et je m'arrête en chemin. Bien sûr, en agissant de la sorte, je me fais éjecter de beaucoup de pots et cela se révèle néfaste pour mon jeu. Comment puis-je avoir assez de cran pour suivre ma première décision ?

Lion sans cœur

Cher Lion sans cœur,

Tu as raison. Tu te tires toi-même une balle dans le pied et tu dois perdre cette habitude, sans quoi tu ne gagneras jamais. Pose-toi la question ! De quoi as-tu peur ? Perdre de l'argent ? Te faire éjecter du tournoi ? Ces choses arrivent tous les jours, mon vieux. Tu sais, la défaite fait partie de la victoire. On ne peut pas gagner si on n'est pas prêt à perdre. Le poker récompense l'agressivité et punit le manque d'audace. Cela a toujours été ainsi, et cela le sera toujours. Accepte la pression ou arrête de jouer.

Si vous voulez des informations sur le World Poker Tour, allez sur le site du WPT à l'adresse **www.worldpokertour.com**.

CONSEILS DE LECTURE

Tous ces ouvrages sont incontournables.

Winning Low Limit Hold'Em, de Lee Jones. Le premier livre de poker que j'ai lu. Ce livre vous permettra d'améliorer votre connaissance des règles du Limit Hold'Em.

Super System et Super System II, de Doyle Brunson. Le chapitre sur le No Limit Hold'Em écrit par Doyle demeure encore aujourd'hui la référence sur le sujet.

Caro's Book of Poker Tells, de Mike Caro. Livre indispensable pour lire vos adversaires.

The Theory of Poker, de David Slansky. Ouvrage de vulgarisation couvrant les concepts généraux du poker et présentant des principes innovants.

Machiavellian Poker Strategy, de David Apostolico. Un ouvrage de référence pour vous aider à adopter la bonne philosophie lorsque vous entrez dans une salle de poker.

Ace on the River, de Barry Greenstein. Ouvrage essentiel pour ceux qui envisagent de devenir professionnels.

WPT: Shuffle up and Deal, de Mike Sexton. Un ouvrage pour débuter au poker. Mike Sexton fait preuve dans cet ouvrage de la même verve que dans ses commentaires des parties du World Poker Tour.

WPT: Making the Final Table, d'Erik Lindgren. Erik vous révèle ses trucs pour briller dans les tournois de poker.

Biographie

Je suis né le 8 décembre 1978 à Téhéran, où, comble de l'ironie, il est illégal de posséder un jeu de cartes. J'ai émigré aux États-Unis avec ma famille en 1988. Nous nous sommes installés à San Jose, en Californie. Ce pays est incroyable. J'ai eu au début quelques difficultés pour m'adapter à l'école, mais j'ai toujours su que je réussirai ma vie ici, aux États-Unis. J'ai toujours voulu avoir un restaurant ou un bar et j'ai même, un moment, envisagé de m'inscrire dans une école de cuisine.

Bien sûr, la vie nous entraîne parfois dans des directions inattendues. Quelque part sur ma route vers l'école de cuisine, j'ai croisé la route de ces fameuses cartes à jouer qui sont illégales dans mon pays d'origine et qui ont fait prendre un tournant décisif à ma vie. Lorsque le barman du Left, à Albuquerque, m'a demandé de choisir une carte, ma vie a changé pour toujours. D'abord, j'ai été complètement obnubilé par la magie. J'y consacrais tous mes instants. Du réveil au coucher je m'entraînais pour devenir le meilleur magicien possible. Puis Scott

Stewart m'a initié au poker et j'ai déployé la même passion et la même énergie afin de devenir le meilleur joueur de poker possible.

Antonio avec son père, Bijan, son frère Paul et sa grand-mère Malak.

J'ai eu de la chance que mes progrès au poker aient coïncidé avec le début du World Poker Tour. Je jouais au poker dans le nord de la Californie et je me débrouillais plutôt bien, mais j'avais toujours des envies d'école de cuisine. En fait, je m'étais inscrit pour les cours mais le destin en a décidé autrement. Malgré un bankroll de seulement 9 000 dollars, je me suis acquitté des 3 000 dollars de droit d'entrée du tournoi du WPT qui se déroulait au Lucky Chances, un casino de Colma, en Californie, pendant la première saison du WPT. J'ai terminé à la troisième place. J'ai participé à une table finale télévisée où j'ai éliminé une légende du poker, Phil Hellmuth. Le poker peut réserver des surprises. Alors qu'il ne restait plus que vingt joueurs en lice, une main a tout fait basculer. Un joueur a relancé avec une paire de 7. J'ai suivi avec R-D de trèfle. Le flop a révélé 7-9-2 avec deux trèfles sur le tableau. Nous avons fait tapis tous les deux et le tapis de mon adversaire couvrait le mien. Phil Laak m'a rejoint pour attendre le turn. Un magnifique as de trèfle est sorti et j'ai bondi de ma chaise dans les bras de Phil. Nous avons regardé la river, qui aurait pu aider mon adversaire ; il n'en a rien été. J'étais toujours en course. Si cette main avait eu une autre issue, j'aurais peut-être rejoint l'école de cuisine.

Antonio au Golden Nugget avec sa tante Gigi.

Au lieu de cela, je suis devenu joueur professionnel. Au début, mon père a eu du mal à comprendre mon choix de profession. Les familles perses veulent que leurs enfants aillent à l'université. La mienne ne faisait pas exception. Aller à l'université est gage de respect. Ma décision d'abandonner mes études pour devenir joueur de poker n'a donc pas emballé mon père. Malgré tout, je n'ai pas mis longtemps à le

convaincre du bien-fondé de ma décision. Il m'a accompagné dans une salle de poker et il s'est mis derrière moi pendant que je jouais. Je lui ai dit quelles cartes les autres joueurs à la table avaient en main avant qu'ils ne retournent leurs cartes. C'est tout ce dont il avait besoin pour savoir que tout allait bien se passer. Aujourd'hui, il aime le poker. Il m'accompagne souvent dans mes voyages et il adore cela. Il assiste à toutes mes parties et m'accompagne même parfois en discothèque. C'est vraiment mon meilleur ami.

J'ai remporté le L.A. Poker Classic pendant la deuxième saison du WPT et donc le prix de 1,4 million de dollars. Cette même année, j'ai remporté mon premier tournoi des World Series of Poker. En Iran, il est fréquent que les parents arrangent les mariages pour leurs enfants avec les enfants d'autres familles en vue. Une mère iranienne se met à la recherche d'un bon parti pour sa fille. Bien sûr, il faut que cet homme ait réussi pour être considéré comme un bon parti. Les deux familles se rencontrent alors pour se mettre d'accord pour le mariage. Et vous pouvez me faire confiance si je vous dis que les parents ont énormément d'influence. Pendant longtemps, personne ne m'a approché et mon père ne m'a jamais demandé de rencontrer la fille de quiconque. Mais les choses ont quelque peu changé. Après la diffusion de ma victoire au L.A. Poker Classic, j'ai dû recevoir des dizaines de coups de téléphone de mères iraniennes qui voulaient me présenter leur fille. Bizarre, ce qu'un peu de célébrité et de fortune peut faire !

La vie de joueur de poker n'est pas faite pour tout le monde. L'avantage, avec le poker, c'est que vous n'avez pas besoin d'être professionnel pour prendre du plaisir à jouer. Apprenez à jouer correctement, et qui sait ce que le destin vous réserve. Peut-être nous rencontrerons-nous à la table finale du prochain tournoi du World Poker Tour.

REMERCIEMENTS

Je voudrais remercier personnellement toutes les personnes mentionnées sur cette page pour leur soutien et leurs contributions (sans leur aide, ce livre n'aurait jamais vu le jour).

Brian Balsbaugh, Phil Hellmuth Jr., Phil Laak, Annie Duke, Gabe Thaler, Rob Fulop, Glynn Beebe, Kevin O'Donnell et Elaheh Borna pour toute leur aide et leur soutien.

Steve Lippscomb pour avoir fait de moi une rock star et pour avoir rêvé le World Poker Tour.

Scott Stewart pour m'avoir fait découvrir le poker et m'avoir donné mon premier livre sur le poker (*Winning Low limit Hold'Em*, de Lee Jones).

Toute l'équipe d'UltimateBet.com, avec une mention spéciale pour John Vorhaus et Joanne Priam ; et un grand merci à Joey Burton et à Rick Rios.

Marko Trapani et Stan Steiff, qui parviennent à gérer une organisation aussi imposante que le Bay 101, mon casino préféré et premier endroit favori).

Matt Savage, qui a cru en moi dès les premiers instants. Toute l'équipe de *Bluff magazine.*

La famille Shulman et surtout Allyn Shulman pour m'avoir mis en couverture.

Toute l'équipe du WPT et surtout Shana Hiatt, Andrea Green et Melissa Feldman (ma préférée).

Toute l'équipe du Brandgenuity et surtout Andy Topkins ; Mathew Benjamin, Gretchen Crary, Tara Cibelli et tout le personnel de HarperCollins pour avoir transposé dans un livre mes stratégies pour gagner en cash game.

Un grand merci à tous les croupiers, aux directeurs de salle et à tout le personnel de tous les casinos du monde entier.

David Apostolico, qui a donné vie à ce projet. Andy est l'auteur derrière l'auteur. Il est mon collaborateur qui m'a aidé à écrire ce livre. Dire que ce livre n'aurait pas pu voir le jour sans lui relèverait de l'euphémisme.

Doyle Brunson, Bobby Baldwin, Andrew Sasson, Tom Brigthlink et Bill Macbeth pour leur gentillesse. Voir comment ces hommes, qui comptent parmi les personnes les plus puissantes de Las Vegas, ont su garder les pieds sur terre m'a donné une très grande leçon d'humilité.

Enfin, un grand merci à tous mes amis et à ma famille. Je n'aurais pas pu devenir celui que je suis sans vous. Je vous aime.

INDEX

A

B

C

D

E

F

G, H, I

J